JASON DARK

Goules à Manhattan

Traduit de l'allemand par
Alain Royer

D1409574

JOHN SINCLAIR

chasseur de
SPECTRES

HAUTE TENSION

JOHN SINCLAIR

chasseur de
SPECTRES

224 LA BARQUE DES MORTS
225 LES PILLEURS DE TOMBES
226 LE TRÉSOR DES DRUIDES
227 ZOMBIES SUR LA PLACE ROUGE
228 NOCES D'HORREUR
229 DESTERO, LE BOURREAU DU DIABLE
230 LA DEESSE DE LA MORT
231 LES YEUX DU BOUDDHA D'OR
232 LA DISCOTHÈQUE DU VAMPIRE

*L'édition originale de ce roman a été publiée
sous le titre :*

GHOULS IN MANHATTAN

© *Bastei-Verlag, Gustav H. Lübbe GmbH & Co Bergish Gladbach
West Germany, 1981*
© *Hachette, 1987.*
79, boulevard Saint-Germain, 75006 Paris.
*Tous droits de traduction, de reproduction et d'adaptation
réservés pour tous pays.*

PROLOGUE

New York !

Ville de rêve pour des milliers de touristes
assoiffés d'aventures. Métropole démesurée
hérissée de gratte-ciel, lieu d'agitation inces-
sante et de commerce, point de rencontre de
toutes les races, véritable chaudron de sorcière.

Luxe inouï et misère inimaginable se côtoient.
D'un côté, l'univers de la mode, de la finance et

du show biz, de l'autre, ghettos hantés par la détresse, la haine et la violence.

Vols et crimes sont un élément du décor quotidien. New York est un moloch qui dévore tout.

Mais depuis des mois la ville héberge un hôte dont le nom seul donne froid dans le dos : THANATOS.

CHAPITRE 1

Le vent venait de l'ouest et se ruait sur l'East River et le sud du Bronx avec l'avidité d'un carnassier en chasse. Il s'engouffrait dans les ruelles misérables, soulevant des nuages de poussière, faisant virevolter ordures et papiers gras. Il s'insinuait dans les maisons délabrées, par les carreaux cassés, les fenêtres béantes, les portes défoncées.

Un vent chaud. Chaud et lourd. New York

crevait de chaleur et ses habitants avaient l'impression qu'une gigantesque sangsue leur pompait toute leur énergie.

Certes, les plus favorisés bénéficiaient d'appartements dotés de l'air conditionné, et ils s'y réfugiaient quand ils ne s'enfuyaient pas sur les plages de Long Island où la moiteur cédait aux vents de l'Atlantique.

Mais les pauvres étaient coincés dans leurs trous à rats. Chaque degré supplémentaire augmentait leur supplice et haussait d'un cran la tension nerveuse, la rage accumulée. Alors, pour rien, luisaient les lames des couteaux ou claquaient les coups de feu.

La police faisait ce qu'elle pouvait, c'est-à-dire qu'elle arrivait généralement pour ramasser les morts et les blessés.

La mafia new-yorkaise régnait sur la ville. Le plus petit souteneur menait grand train, à condition de ne pas empiéter sur le territoire du voisin. A l'échelon supérieur, on troquait les poignards et les coups de poing américains contre les revolvers, indispensables au contrôle d'un quartier. Et cette ascension sociale sauvage était jalonnée de cadavres.

Tandis que les riches, concentrés dans la presqu'île de Manhattan, regardaient à travers leur double vitrage le soleil écraser la ville, le sud du Bronx transpirait à grosses gouttes. Ici, la plupart des maisons étaient vides, dégradées ou calcinées. Rues désertes, poubelles renversées dont le contenu se mêlait aux gravas, on se serait cru dans un décor de film de guerre, après un bombardement.

La police y faisait bien des rondes, mais les flics descendaient rarement de voiture. On a si vite reçu une balle perdue...

Ecrasé de chaleur, chacun restait chez soi, même les tueurs, les proxénètes et les dealers. Chacun se terrait dans son trou, seulement préoccupé de bouger le moins possible, somnolent et à demi abruti d'hébétude. On ne se réveillait que le soir. Alors seulement, le sud du Bronx recommençait à vivre.

Dans les rues, s'allumaient les vitrines de magasins et les enseignes de néon des bouges. Il y en avait pour tous les goûts. Le citoyen à peu près normal n'avait pas intérêt à s'y aventurer ; quant au touriste en mal de sensations, c'était évidemment à ses risques et périls. Les rencontres variaient du pickpocket de dix ans au tueur fou camé jusqu'aux yeux.

Le bar avait ouvert à vingt et une heures précises. Situé à l'angle d'une rue, il occupait le rez-de-chaussée d'un des rares immeubles encore à peu près intacts. Haut de six étages, il possédait des fenêtres et même des carreaux à toutes les fenêtres. Il fallait bien que les quelques caïds du quartier aient leurs appartements. Personne ne se serait amusé à envoyer une pierre contre cette façade-là. L'immeuble était tabou.

Le patron du bar, un ancien relégué du pénitencier de St. Quentin, s'appelait Red Head Jackson. Irlandais d'origine, le poil roux et redouté pour sa violence, il gardait sous son comptoir crasseux un fusil chargé de chevrotines et plus d'un petit malin avait pu en contempler le double canon braqué sur lui.

Serveur, dealer et tueur à l'occasion, Angel Zingarina le secondait activement. Angel était Noir, et tous les deux formaient un couple redoutable. Les caïds les toléraient, car on se savait à l'abri chez eux. Personne ne se serait risqué à venir y semer le désordre. Là au moins on pouvait parler affaires tranquillement.

Le comptoir faisait face à l'entrée. Le bois avait souffert. Quelques lampes de faible intensité distillaient une lumière avare, de manière, sans doute, à laisser beaucoup de choses dans l'ombre.

Les chaises et les tables étaient affreusement disparates, rafistolées ou bancales, mais nul ne s'en souciait dans cette oasis paisible, perdue au milieu d'un désert de violence, où l'on venait surtout pour proclamer des cessez-le-feu entre bandes rivales.

A peine Red Head Jackson eut-il ouvert l'établissement ce soir-là que la clientèle afflua. Angel Zingarina fut bientôt débordé. La chaleur écrasante avait assoiffé le quartier. Bière et whisky se mirent à couler à flots tandis que des nuages de fumée montaient vers le plafond. Et pas le moindre ventilateur pour brasser cette chaleur moite qui entrait par la porte.

Ce soir-là, le Crapaud et sa bande étaient venus boire un verre. Son surnom allait comme un gant à l'homme aux yeux proéminents atta-blé au fond de la salle. Membre de la mafia new-yorkaise, il était devenu peu à peu un des caïds du Bronx. Quatre hommes l'accompagnaient. Trois d'entre eux avaient pris place à ses côtés ; le quatrième était resté debout au bar et ne per-dait pas la porte de vue.

Il y avait aussi deux filles, deux mulâtresses fraîchement débarquées de Cuba. Deux perles exotiques que le Crapaud destinait aux touristes à la recherche de couleur locale. Mais, ce soir-là, elles avaient quartier libre et le Crapaud les sortait pour les distraire un peu. Aussi avaient-elles revêtu des shorts ultra-courts et de minus-cules chemisiers noués à la taille. L'une arborait une coiffure afro et l'autre un chignon trop sage pour être honnête.

Elles eurent un rire sonore lorsque le Cra-paud, grand seigneur, proposa de passer la soirée au champagne. Deux de ses acolytes s'obstinèrent à boire du whisky. Les filles s'ins-tallèrent, mutines, de chaque côté de leur souteneur et se laissèrent caresser en riant à gorge déployée. Le Crapaud était aux anges.

Au bar, étaient assises d'autres filles du quartier — certaines encore jolies, d'autres passablement ravagées par la coke ou l'héroïne. Le pli amer au coin des lèvres et le regard dur disaient assez que la vie n'avait pas été tendre pour elles. Voyant qu'il n'arriverait pas à servir tout le monde, Angel en débaucha une, qui s'exécuta aussitôt. On ne refusait rien au bras droit de Red Head.

Le juxe-box marchait à pleine puissance. Le Crapaud entraîna une de ses compagnes dans un rock endiablé. Le gangster avait pas mal de kilos en trop et l'aisance d'un ours sur le retour, mais personne n'aurait pensé le plaisanter là-dessus. La fille, par contre, très svelte, dansait à ravir. Le Crapaud ne tarda pas à transpirer sang et eau et s'arrêta bientôt pour vider une coupe de champagne qu'un de ses hommes remplit de nouveau avec empressement.

Depuis quelques minutes, une lueur étrange s'était allumée dans le regard des hommes posé sur la Cubaine en train de se déhancher. Lorsque sa compagne la rejoignit, un frisson passa dans la salle.

« Champagne ! » brailla le Crapaud en retournant son verre vide.

On lui tendit une nouvelle coupe, qu'il vida d'un trait, le visage crispé, la respiration haletante et les yeux plus exorbités que jamais. De larges taches de sueur maculaient sa chemise.

« Nom de... » exhala-t-il en se laissant tomber sur une chaise, au bord de l'évanouissement. Son verre lui échappa des mains et se brisa sur le sol. A l'instant, la musique se tut, les danseuses s'immobilisèrent. On n'entendit plus que la respiration sifflante du Crapaud. Il y eut quelques secondes de silence. Voyant tous les regards fixés sur lui, le Crapaud se redressa, prit une longue inspiration et, d'une voix dure, s'adressa aux filles.

« Strip-tease ! s'écria-t-il. Allez, vous deux, à poil. Montrez-nous ce que vous avez à vendre. »

Un tonnerre d'applaudissements salua cet ordre. Personne n'avait rêvé pareille aubaine. Les deux filles étaient ravissantes. Elles ne parurent d'ailleurs pas se formaliser de cet ordre et obéirent en souriant.

Red Head émit un grognement de satisfaction et posa les deux coudes sur le comptoir pour mieux assister au spectacle. Angel Zingarina abandonna son plateau et se jucha sur un tabouret. Tout le monde s'écarta.

« Musique ! » cria le Crapaud.

Un de ses hommes glissa une pièce dans la fente et les premières mesures d'un slow langoureux s'élevèrent dans la salle. Les deux filles échangèrent un regard et commencèrent à onduler des hanches en cadence. Les regards des

13

hommes étaient rivés sur elles et ceux des femmes étaient à peine moins attentifs.

Personne ne remarqua les deux silhouettes qui venaient d'apparaître sur le seuil. Elles n'appartenaient à aucune des bandes du Bronx. Elles n'avaient même rien d'humain, c'étaient des zombies. Xorron venait d'envoyer ses premiers émissaires. L'invasion avait commencé...

CHAPITRE 2

Les spectateurs se mirent à frapper dans leurs mains ; ceux qui étaient assis se levèrent pour rendre un hommage enthousiaste au savoir-faire des deux filles, qui dansaient et virevoltaient avec une aisance et une souplesse ahurissantes. Le strip-tease à proprement parler n'était pas commencé, mais personne ne s'en plaignait, tant les ondulations de leurs corps étaient suggestives.

« A poil ! » cria pourtant un ivrogne trop pressé.

Il n'eut pas l'occasion de le répéter. D'un coup de poing à assommer un bœuf, Red Head l'expédia au tapis.

C'est alors qu'apparurent les zombies. Ils se faufilèrent dans les rangs des spectateurs fascinés par les danseuses sans se faire remarquer. Personne ne frémit à leur contact. Les deux filles étaient en train de dégrafer leurs chemisiers...

Elles les lancèrent dans le public. Des mains avides se tendirent pour s'emparer du tissu imprégné de sueur et de parfum. Un des zombies en profita pour s'approcher du juke-box. Il se baissa et arracha la prise.

La musique mourut dans un miaulement. Puis ce fut le silence.

Surprises, les deux filles s'immobilisèrent, les bras croisés sur leurs seins nus. Les spectateurs demeurèrent un instant figés sur place. Qui avait osé arrêter la musique ?

Le Crapaud se leva avec une lenteur menaçante. Tous les regards convergèrent vers le juke-box. Les deux zombies se tenaient de chaque côté de l'appareil et chacun put observer l'étrange couleur blafarde de leur faciès. Les plus proches sentirent même l'odeur de pourriture qui émanait de leur corps flottant dans des lambeaux de vêtements.

L'odeur se répandit dans la pièce et le cercle

autour d'eux s'élargit. Le regard vide et fixe, ils ne bougeaient toujours pas.

« Non, mais je rêve ! » gronda le Crapaud.

Un rire s'éleva, semblable au bêlement d'une chèvre. Tout le monde comprit qu'un tel crime de lèse-majesté ne resterait pas impuni. Pas avec le Crapaud !

Les gardes du corps firent un pas en avant. Ils n'avaient pas encore à sortir leur artillerie, puisque les deux trouble-fête n'exhibaient pas la leur.

« Un instant ! » s'écria Read Head Jackson. Le Crapaud se tourna vers lui, le sourcil interrogatif. « C'est *mon* bistrot, poursuivit Red Head. Et ici, c'est moi qui fais la loi.

— Okay, ricana le Crapaud. Débarrasse-nous de ces deux zozos, on te regarde faire. »

Red Head décocha un regard à Angel Zingarina. Le Noir hocha la tête. Il avait compris. Angel n'avait pas seulement la carrure d'un boxeur et la souplesse d'un félin. Il avait aussi un couteau. Et il savait en jouer...

La lame apparut à son poing comme par enchantement. Le sourire qui effleura ses lèvres n'augurait rien de bon... Mais les deux intrus ne bougèrent pas d'un pouce.

Angel Zingarina sentit la moutarde lui monter au nez. Il fronça les sourcils et fit la grimace. Le petit anneau d'or qu'il portait à l'oreille scintilla un bref instant tandis qu'il avançait à pas lents.

On aurait entendu une mouche voler.

Un éclair. Puis un second, très vite.

La lame venait d'arracher la peau sur la gorge des deux gêneurs. Mais aucune goutte de sang ne jaillit.

Le front du Noir s'emperla de sueur. Il recula d'un pas et une superstition atavique le fit frémir de la tête aux pieds.

« Ces types sont envoyés par le diable ! s'écria-t-il.

— Hé là ! rugit son patron. Tu ne vas pas jouer les poules mouillées ! Débarrasse-moi de cette vermine ! »

Zingarina prit une profonde inspiration. Son visage avait viré au gris. Il entendit un rire moqueur et, comme cinglé par un coup de fouet, il fonça.

Deux coups, très appuyés cette fois.

Deux coups meurtriers. Mais aucun des zombies ne tomba. Angel lâcha son couteau et recula de nouveau. C'est alors qu'un des monstres contre-attaqua à une vitesse fulgurante !

Angel sentit des mains se refermer comme un étau autour de son cou et il tomba à genoux. Ses yeux s'agrandirent, l'air lui manqua. Déjà, sa vue se brouillait. Les silhouettes, autour de lui, s'estompaient dans un brouillard rouge.

Le Crapaud parut se réveiller. Il tira un colt de sa ceinture.

« Place ! » hurla-t-il en écartant un de ses hommes.

Il fit feu.

Tous virent le zombie vaciller sous l'impact, mais le monstre ne lâcha pas sa proie.

« Nom de D... ! » hoqueta le Crapaud, et il tira une seconde fois en visant l'autre zombie.

La balle le traversa de part en part. Sous le choc, la créature recula et heurta le juke-box, mais elle retrouva presque aussitôt son équilibre.

Le bras du Crapaud retomba lentement. L'incompréhension et l'horreur se lisaient dans son regard. Personne ne broncha. Pour la première fois de leur vie, les tueurs du Bronx avaient peur ! La voix hystérique d'une des strip-teaseuses déchira le silence :

« Ce sont des zombies ! Les zombies attaquent... C'est la fin du monde ! hurla-t-elle. C'est la magie ! La magie vaudou ! Sauve-qui-peut ! »

Personne ne la fit taire.

Le zombie qui avait attaqué Zingarina venait de plaquer sa victime au sol. Comprenant que personne ne viendrait au secours de son homme de main, Red Head empoigna son fusil sous le comptoir.

« Écartez-vous ! hurla-t-il. Il faut viser la tête. »

Le vide se fit instantanément. Ceux qui ne purent se ruer dehors, s'aplatirent sur le sol.

Red Head tira puis, sans prendre le temps de viser, fit feu une seconde fois. Il y eut le bruit terrible des détonations, le crépitement des chevrotines, puis, de nouveau, le silence, pesant, horrible — un silence de cauchemar.

Lorsqu'ils osèrent enfin relever la tête, les clients virent le patron du bar, les yeux écarquillés, la bouche entrouverte, serrant convulsivement son arme, comme en état de choc.

Les deux zombies gisaient sur le sol, décapités. Red Head ne ratait jamais sa cible !

Et cette fois, il y avait du sang. Si elle avait tué son agresseur, la première décharge de chevrotines avait aussi atteint Angel Zingarina de plein fouet. Le grand nègre mourut quelques secondes plus tard.

« Bon sang ! » soupira Red Head en essuyant du revers de la main son front dégoulinant de sueur.

Les visages autour de lui se détachaient comme de la craie blanche dans la pénombre. Pourtant accoutumés au spectacle de la mort, les truands sentaient que, cette fois, l'enfer s'en mêlait. Les filles éclatèrent en sanglots et le Crapaud lui-même dut avaler une longue rasade de whisky pour se raffermir sur ses jambes.

« Faut avertir les flics ! proposa un des gardes du corps.

— Les flics ? » cracha le Crapaud.

L'homme se recroquevilla sur lui-même.

« Imbécile ! reprit le Crapaud. Personne n'avertira les flics ! Écoutez-moi, j'ai un plan. Vous venez de voir comment il faut s'y prendre pour tuer un zombie, hein ? Il y en a déjà deux de casés, mais nous ne savons pas combien il en reste dans le coin. Alors, nous allons fouiller le quartier. Que chacun vérifie son arme et si vous en rencontrez, n'oubliez pas, visez la tête, seulement la tête !

— Comme au cinoche ! ricana un truand.

— Non, fit Red Head avec un rire amer. Ça va être beaucoup plus dur qu'au cinoche. »

Le Crapaud répartit les clients du bar en deux groupes et laissa les filles à la garde de Red Head en leur recommandant de se barricader à l'intérieur du bar. Puis il ouvrit la porte.

Mais il n'alla pas plus loin.

Sept zombies l'attendaient sur le seuil.

Manhattan. Central Park.

Les poumons de New York. Lieu de détente pour des milliers de New-Yorkais venus chercher un peu d'air dans ce parc entouré de gratte-ciel.

Au moindre rayon de soleil, Central Park fourmille de promeneurs, de badauds, de musiciens, de vendeurs à la sauvette. Des routes le traversent, l'élégante Cinquième Avenue le borde sur la droite, et, en bas, Columbus Circle est un des carrefours du métro new-yorkais. Plusieurs petits lacs et un immense réservoir à ciel ouvert invitent à déambuler sur leurs rives.

La nuit chasse les familles et les touristes paisibles. Une farine d'un tout autre genre les remplace. Des silhouettes qui préfèrent se déplacer dans l'ombre : dealers, junkies, délinquants de tous ordres.

La nuit, Central Park ressemble beaucoup à l'enfer. Les policiers évitent de s'y aventurer et les femmes aux mœurs légères ont depuis longtemps renoncé à y vendre leurs charmes. Trop d'entre elles y ont laissé la vie...

Nombreuses sont les zones que n'éclaire aucun réverbère. Lieux de rendez-vous rêvés pour ceux dont le commerce ne supporte pas la lumière. Au milieu du parc, entre la transversale n°2 et la n°3 l'obscurité est totale. Les chemins se perdent sous les frondaisons et la végétation est si dense qu'on n'y voit pas à deux mètres. Seul le clapotis d'un ruisseau apporte une note rassurante.

Ce soir-là, pourtant, une lourde Cadillac noire roulait sur la transversale n°2. Ses larges pneus crissaient sur l'asphalte et le faisceau des phares trouait l'obscurité.

Une femme était au volant. Brune et habillée

de noir, seul son visage dessinait une tache claire dans la nuit. Les paupières un peu rétrécies, les lèvres serrées, elle fixait la route en conduisant d'une main sûre.

Pamela Barbara Scott, plus connue sous le pseudonyme de Lady X, que lui avaient donné les journalistes, était une ancienne terroriste, qui avait abandonné la lutte armée pour servir un personnage que le diable même n'aurait pas renié : Solo Morasso, *alias* Thanatos.

L'homme qui avait fondé la Ligue du crime en scellant une alliance entre criminels et démons pour régner sans partage, non seulement sur notre univers mais aussi sur d'autres dimensions peuplées d'esprits et de créatures surnaturelles.

Tel était son but, bien qu'il le dissimulât avec soin. Pas question, en effet, d'éveiller la méfiance de celle qui le dominait encore : Asmodée, la fille du diable.

Thanatos enrageait d'être obligé de lui obéir et il avait tenté quelques petites incartades. Mais à chaque fois, Asmodée, démon à la flamboyante chevelure rousse, l'avait sèchement remis à sa place.

Ces blessures d'amour-propre le brûlaient comme un fer rouge et il avait provisoirement quitté le devant de la scène pour ourdir le machiavélique complot qui lui permettrait de se débarrasser de cette intolérable tutelle. Il lui manquait encore quelqu'un pour asseoir définitivement son pouvoir.

Xorron, le maître des zombies et des goules.

Thanatos l'avait cherché longtemps. Toutes les pistes s'étaient terminées en cul-de-sac, jusqu'au jour où, dans une station du métro londonien, il avait par hasard retrouvé sa trace. Deux vieilles goules lui avaient révélé l'emplacement de son repaire : New York.

Solo Morasso était aussitôt parti pour la grande métropole américaine. Là, après des semaines de recherches systématiques, la chance lui avait enfin souri. Il avait appris que Xorron dormait d'un sommeil profond dans le sous-sol de Central Park.

Aussi avait-il demandé à Lady X de l'y conduire par une nuit sans lune. Assis à l'arrière de l'immense Cadillac, Thanatos paraissait encore plus petit qu'il ne l'était en réalité. Il avait commencé sa carrière comme maffioso à Palerme. Puis il était mort, et Asmodée s'était emparée de lui juste avant l'enterrement. Elle lui avait proposé de laisser vivre le corps de Solo Morasso en y enfermant l'âme de Thanatos, démon redoutable. Le truand ne s'était pas fait prier !

Il en était résulté un curieux mélange d'être humain et de créature démoniaque. Ainsi pouvait-il entrer en contact avec des objets bénis sans tomber en poussière, ce qui était un avantage énorme par rapport aux autres créatures surnaturelles. Mais il avait oublié sa dette envers Asmodée. Le monde du crime ignore la reconnaissance !

Thanatos ne connaissait en fait qu'un sentiment : la haine ! Et cette haine se concentrait presque toute sur un homme : John Sinclair. Le chasseur de spectres l'avait en effet pourchassé avant qu'il n'investisse l'enveloppe charnelle de Solo Morasso et il lui avait logé une balle d'argent dans la tête. Depuis lors, le démon et Sinclair étaient devenus des ennemis irréductibles ; dans leurs multiples affrontements, on ne savait jamais lequel l'emporterait et l'issue de cette lutte sans merci était toujours demeurée indécise. Mais depuis qu'il avait fondé la Ligue du crime, Thanatos pensait qu'il avait des chances de gagner.

Les principaux membres de cette ligue étaient Lady X, Mister Cash, le fabricant de monstres, Vampiro del Mar, le plus sanguinaire de tous les vampires, la reine des loups et Tokata, le samouraï manchot du Diable. Ce dernier devait à John Sinclair d'avoir perdu un bras. Un boomerang d'argent le lui avait coupé. Solo Morasso avait récupéré l'arme et s'était juré de s'en servir pour décapiter son ennemi mortel.

Tokata avait lui aussi pris place ce soir-là à bord de la Cadillac. Son visage de marbre était blanc comme un masque. Il portait une armure de cuir et serrait contre lui le sabre dont il ne se séparait jamais. Forgée dans le feu de l'enfer, cette arme redoutable pouvait transpercer les cloisons. Réputé invincible, le samouraï avait été tiré de sa tombe par Thanatos, qui espérait ainsi avoir à ses côtés, avec Vampiro del Mar et Xorron, un trio criminel de première force.

Certes, Xorron manquait encore mais plus pour longtemps.

« Où allons-nous exactement ? demanda Lady X.

— Roule. »

L'ex-terroriste acquiesça d'un signe de tête. La voiture se dirigeait vers la Cinquième Avenue. Solo Morasso, légèrement penché en avant, scrutait la pénombre. La lueur des phares donnait aux arbres un aspect fantomatique.

Deux silhouettes jaillirent brutalement des fourrés et se postèrent en travers de la route.

« Pleins phares ! » ordonna Solo Morasso.

Aveuglés, les deux inconnus se protégèrent les yeux mais ne bougèrent pas. L'un d'eux sortit une arme.

« Accélère », ricana Thanatos.

Lady X emballa le moteur. La voiture parut bondir dans la nuit. Avant d'avoir pu réagir, les deux hommes furent balayés et projetés sur le côté.

A l'intérieur de la Cadillac, on sentit à peine

le choc. Aucun des occupants du véhicule ne se retourna.

« Imbéciles ! » lança seulement Solo Morasso.

Quelques centaines de mètres plus loin, il donna l'ordre de tourner dans un chemin de terre qui disparaissait entre les talus.

Lady X braqua et le lourd véhicule obéit doucement. Les amortisseurs furent soumis à rude épreuve et les passagers quelque peu ballottés. Le chemin se terminait en cul-de-sac dans une sorte de petite clairière. Lady X s'arrêta et attendit.

« Laisse les phares, fit Thanatos. Je veux les voir quand ils apparaîtront. »

Il descendit le premier, aussitôt imité par Lady X qui avait pris soin de se munir d'une mitraillette. Tokata sortit à son tour et se posta près du véhicule.

A vrai dire, personne ne savait ce qui allait se passer.

Thanatos fit quelques pas et s'arrêta au milieu de la clairière, au pied d'une statue représentant un homme levant le bras. Rien de bien inquiétant.

Lady X fronça les sourcils.

« C'est ici qui...

— Oui, coupa Thanatos en observant le sol autour du socle.

— Tu en es sûr ? Ça me paraît bien tranquille.

« —Tu t'attendais à un gouffre béant, où bouillonnerait l'enfer, en plein Central Park ? lança-t-il sarcastique. Le démon qui m'a indiqué cet endroit fait partie de l'entourage d'Asmodée. Vampiro del Mar, Tokata et moi l'avons contraint à trahir sa maîtresse et, crois-moi, il ne pouvait pas mentir ! ajouta Thanatos avec un sourire cruel. De plus, c'est lui qui nous a prévenus que New York serait envahi de morts vivants le jour où nous réveillerions Xorron. Regarde le sol, Lady X. Tu ne vois rien ? »

La jeune femme baissa les yeux. La terre était parsemée de larges trous, comme si des êtres de la taille d'un homme étaient sortis de leurs tombes. C'est alors qu'elle comprit. Cette clairière était un cimetière. Un œil exercé à capter les signes du surnaturel ne pouvait se tromper sur ces monticules de terre : c'était des sépultures encore intactes.

« Quelques-uns sont déjà en route... murmura-t-elle.

— Oui, ricana Thanatos. Peut-être des goules, peut-être des zombies, ou les deux. Mais lorsque nous aurons réveillé Xorron, bien d'autres se lèveront.

— Comment a-t-il été enterré ici ?

— Je ne sais presque rien de son passé. Mais il doit reposer ici depuis une éternité. Il a dû être enterré là bien avant que les premiers colons ne mettent le pied sur la presqu'île de Manhattan.

— Ça m'intéresserait de connaître son histoire, déclara Lady X d'un ton pensif.

— Eh bien, commençons par le réveiller. »

Thanatos se tourna vers le samouraï et lança d'une voix brève :

« A toi de jouer, Tokata. Détruis cette statue et fais lever Xorron. »

Tokata acquiesça d'un signe de tête et tira son sabre du fourreau. La lame jeta un éclair bleuté dans la lueur des phares. L'immense samouraï avança de quelques pas et frappa la pierre.

Solo Morasso et Lady X entendirent le sifflement de la lame, puis le choc, suivi d'une gerbe d'étincelles. Mais la statue demeura intacte.

Thanatos ne put retenir un cri d'étonnement.

« Que se passe-t-il ? » s'inquiéta Lady X.

Thanatos pinça les lèvres d'un air mécontent.

« Rien ne résiste à la lame de Tokata, grinça-t-il entre ses dents. La magie qui règne ici est plus forte que je ne croyais. »

La jeune femme crispa les doigts sur sa mitraillette.

« Mais qui ne risque rien, n'a rien ! » gronda Thanatos. Il se tourna vers le samouraï : « Concentre tous tes pouvoirs et recommence. »

Le samouraï, cette fois, se méfia. Il posa la pointe de sa lame sur la tête de la statue et rassembla ses forces. D'abord, il ne se passa rien, puis l'extrémité du sabre se colora, comme chauffée à blanc. Lady X sentit des ondes de chaleur envelopper la clairière. La lame s'enfonça dans la pierre et, brusquement, la statue se fendit de la tête aux pieds dans un craquement de tonnerre.

« Il a réussi... Il a réussi ! » hurla Solo Morasso.

L'instant d'après, Xorron se dressait devant eux...

CHAPITRE 3

Sept zombies se tenaient devant la porte et trois cadavres gisaient sur le trottoir.

Le Crapaud sentait dans son dos la respiration oppressée de ses hommes. Les zombies étaient particulièrement hideux, leurs gestes trop lents, maladroits. Des cadavres à demi décomposés... Il manquait un bras à une femme, un homme n'avait plus de mains, mais le rictus sauvage qui déformait la bouche laissait deviner qu'il pouvait mordre. Il y avait aussi une toute jeune fille, vêtue d'un long linceul blanc maculé de taches sanglantes. Ses lèvres aussi étaient barbouillées de sang — un sang qui n'était pas le sien...

« Ils filment des scènes d'horreur dans le coin ! » railla une voix mal assurée.

En temps normal, le Crapaud aurait fait taire l'impertinent mais, cette fois, il n'ouvrit pas la bouche. La peur s'était insinuée en lui.

Un zombie fit un pas dans sa direction, buta sur le rebord du trottoir et s'étala de tout son long. Ses compagnons ne prêtèrent pas attention à sa chute et se mirent en mouvement à leur tour. Le zombie se releva et l'on put voir son nez cassé et sa face tuméfiée. Il ne semblait pas souffrir.

« Oh ! non ! » murmura le Crapaud.

Une nausée lui contracta l'estomac.

A cet instant, des sirènes de police mugirent au loin.

« Les flics ! » hurla quelqu'un.

Et pour la première fois dans l'histoire du Bronx, il y avait du soulagement dans ce cri.

Les sirènes se rapprochaient à toute vitesse. Bientôt, les voitures débouchèrent au croisement le plus proche, dans un miaulement de pneus. Il y en avait trois. Girophares tourbillonnant dans la nuit, elles foncèrent sur les zombies. La lumière aveuglante des phares parut les surprendre et ils demeurèrent un moment indécis. Deux ou trois pivotèrent pour s'avancer vers les voitures qui venaient de piler à quelques mètres. Les autres continuèrent en direction du bar.

Le zombie au nez cassé tendait les bras, les doigts grands ouverts, comme s'il voulait étrangler le Crapaud. Ce dernier réagit enfin et tira.

Il avait visé entre les deux yeux. Le monstre recula de quelques pas et s'écroula, entraînant un de ses congénères dans sa chute. Puis il resta allongé — définitivement, cette fois.

Brusquement, il y eut des coups de feu de tous les côtés. Certains zombies périrent, encore accrochés à leurs victimes.

Red Head Jackson n'y tint plus. Il rechargea son fusil, cria aux filles de s'enfermer dans la cuisine et se rua hors du bar.

« Ce sont des morts vivants, des zombies ! Visez la tête ! » hurla-t-il aux policiers accroupis derrière leurs véhicules.

Il ne vit pas la jeune fille au linceul sanglant. Il sentit soudain des mains glacées autour de son cou, puis découvrit la bouche ensanglantée à quelques centimètres de sa gorge. Il n'eut que le temps d'interposer le canon de son fusil entre lui et les lèvres meurtrières et il tira.

Le crâne du monstre éclata et le corps décapité bascula en arrière comme un pantin désarticulé.

Les policiers vidaient consciencieusement les chargeurs de leurs armes, encouragés par le Crapaud qui ne cessait à son tour de hurler :

« La tête ! Visez la tête ! »

Les coups de feu ne s'arrêtèrent que lorsque le dernier zombie se fut écroulé sur le sol.

« Nom d'un chien ! soupira Red Head. C'est bien la première fois de ma vie que je suis content de voir des flics. »

Les policiers étaient restés accroupis derrière leurs voitures et la pâleur de leurs visages en disait long sur leur angoisse. Une jeune recrue se détourna pour vomir. Un autre se mit à pleurer en murmurant :

« Au nom du ciel, que va-t-il encore se passer ? »

Les girophares éclairaient cette scène de cauchemar d'une lueur rougeâtre. Le sud du Bronx venait de vivre un de ses grands moments de violence. Les clients de Red Head Jackson avaient fait disparaître leurs armes et se tenaient là, tout penauds, comme des collégiens pris en faute.

Le chef de la patrouille fut le premier à se ressaisir. Il gagna sa voiture et se mit en rapport avec son commissariat. Ses correspondants crurent d'abord à une mauvaise plaisanterie et on lui demanda combien de grammes d'alcool il estimait avoir dans le sang.

Une demi-heure plus tard, le quartier était bouclé. Une bonne partie des forces disponibles de la police urbaine et du FBI, des G-Men redoutablement entraînés, fouillèrent les immeubles autour du bar.

L'homme qui commandait le détachement s'appelait Abe Douglas. Ce fonctionnaire du FBI, grand, blond et perspicace, était en relation permanente avec ses hommes par talkie-walkie.

On ne trouva pas d'autres monstres. Et bien que ce ne fût pas le moment de chercher une explication rationnelle à leur apparition, Abe Douglas, tout en faisant fouiller le moindre recoin, ne pouvait s'empêcher de s'interroger sur un tel événement.

Un flic noir du nom de Jo Barracuda vint le trouver. Il était originaire de Miami et ne servait dans la police new-yorkaise que depuis quelques mois.

« Alors, Abe ?

— La poisse, grogna Abe. Comparé à New York, je suppose que Miami devait être un gentil patelin bien paisible.

— Ne dis pas ça trop vite. »

Abe Douglas se tourna vers son interlocuteur et son visage fut éclairé en plein par la lueur des girophares.

« Quoi ? s'étonna-t-il. Tu veux dire que des horreurs pareilles se passent aussi à Miami ?

— Ça se peut, ouais.

— Explique-toi.

— Tu as déjà entendu parler de la magie vaudou ?

— Bien sûr, un truc pour touristes en mal d'exotisme.

— Si ça n'était que ça ! Mais le vaudou, c'est aussi les zombies...

— Attends un peu. Si je te suis, New York serait victime d'un rite vaudou ?

— Ça m'en a tout l'air, en effet.

— Tu as déjà assisté à quelque chose de ce genre ?

— Pas précisément. Moi, j'ai eu affaire aux vampires. »

Le ton de Jo Barracuda était si sérieux que Douglas ravala une plaisanterie facile.

« Des vampires, hein ?

— Ouais...

— A Miami ?

— Non, dans les Caraïbes. J'ai travaillé là-bas avec un type de Scotland Yard qui se présentait comme chasseur de spectres. Il nous a débarrassés des vampires. Et si quelqu'un peut nous aider contre les zombies, c'est bien lui. Il s'appelle John Sinclair.

— C'est inutile, on les a détruits...

— Ceux-là, oui... Qui te dit qu'il n'y en a pas d'autres dans New York en ce moment même ?

Il y en a peut-être partout, à Manhattan, Queens, Staten Island ou Jersey city...

— Ah ! tais-toi !

— A ta place, j'aurais une petite conversation avec le patron, Abe. »

Abe Douglas considéra longuement la pointe de ses chaussures, puis il releva la tête et soupira :

« Tu as raison, Jo. Je lui en toucherai deux mots. »

Barracuda approuva d'un signe de tête. Pas besoin d'être grand devin pour comprendre que les ennuis ne faisaient que commencer.

Thanatos dévorait Xorron des yeux. Il n'arrivait pas à y croire. Il se sentait comme un gosse devant un arbre de Noël.

Que de temps il avait fallu, que d'épreuves traversées pour vivre enfin ce moment tant attendu !

Xorron se tenait à un mètre, là, devant lui.

Solo Morasso ignorait tout de son apparence physique et n'avait jamais essayé de l'imaginer. Ce qu'il découvrait lui coupait le souffle. Si Vampiro del Mar ou Tokata étaient des monstres inspirant une répulsion instinctive, Xorron les battait de cent coudées. Ce n'était pas tellement son aspect qui effrayait, mais il se dégageait de la créature une telle puissance de mort qu'aucun homme normal n'aurait pu y résister. Xorron était aussi large et haut que le samouraï. Tout son corps paraissait illuminé de l'intérieur. La matière translucide qui lui servait de peau, dépourvue de tout système pileux, n'offrait en guise d'yeux, de bouche et de nez que de simples fentes.

Thanatos fit quelques pas dans sa direction.

Il crut distinguer, sous la peau scintillante, le contour d'un squelette. Sans doute Xorron n'était-il que cela : un squelette enveloppé par Satan lui-même d'une peau luminescente.

Lady X ne pouvait détacher son regard du monstre. Le canon de la mitraillette levé, elle se mordait les lèvres, prête à faire feu.

C'était donc ça, le maître des zombies et des goules ?

« Tu es Xorron ? » demanda Thanatos.

Il n'y eut pas de réponse.

« Réponds-moi ! gronda Thanatos d'une voix irritée. Es-tu Xorron ?

— Oui. »

La fente qui tenait lieu de bouche à la créature se tordit à peine, mais le mot leur parvint clairement.

« Tu sais qui t'a réveillé ?

— Je connaissais ton projet, Solo Morasso.

— Parfait. Tu sais donc que je vais être ton maître. Désormais, tu m'obéiras, à moi, et à moi seul.

— Je sais.

— Connais-tu Asmodée ?

— Je devine ses pensées.

— Que veux-tu dire ?

— Elle ne voulait pas que je me réveille.

— Tiens donc ! Et pourquoi ça ? s'écria Thanatos en se réjouissant intérieurement d'avoir mis la main sur un ennemi de la fille du diable.

— Je ne peux pas te le dire.

— Mais tu sais qu'Asmodée est ton ennemie, n'est-ce pas ? Tu sais que tu vas en faire bientôt l'expérience ?

— Oui.

— Pourquoi ta peau dégage-t-elle cette lumière ? demanda tout à coup Lady X.

— C'est une protection.

— En quelle matière est-elle ?

— C'est une peau de démon.

— Les balles ne peuvent donc rien contre toi ?

— C'est ça.

— Permets que je le vérifie », murmura Lady X en appuyant sur la détente de sa mitraillette.

Les détonations déchirèrent le silence de la nuit. Une flamme bleue jaillit du canon et les balles atteignirent leur but. La rafale aurait dû transformer Xorron en passoire, mais il n'en fut rien. Le maître des zombies et des goules se dressait toujours sur son socle. Il n'avait même pas cillé sous l'impact. Lady X eut un hochement de tête satisfait et se tourna vers Thanatos.

« Il nous le faut, murmura-t-elle.

— Ce ne sont pas vos balles qui viendront à bout de moi, lança Xorron. Ma peau est plus dure qu'un blindage. »

« Parfait, pensa Thanatos. S'il est indestructible, tous les espoirs sont permis. »

Puis il se tourna vers Tokata et lui désigna Xorron.

Le samouraï comprit et fit un pas.

« Essaie ton sabre », lui souffla son maître.

Tokata hésita et dévisagea Xorron, mais il ne découvrit aucun signe d'irritation sur le visage hermétique. Il posa alors la pointe de son sabre contre Xorron et se concentra.

Quelques secondes passèrent sans que rien ne se produise. Les deux forces magiques ne se contrariaient pas. Solo Morasso se retint d'applaudir. Avec Xorron dans sa bande, plus rien de l'arrêterait.

« Parfait, Tokata, murmura-t-il. Retire-toi. »

Le samouraï recula de quelques pas et Xorron descendit de son socle.

Thanatos et Lady X s'étonnèrent de son agilité. Personne, à le voir, n'aurait pu deviner qu'il était resté pendant des siècles prisonnier d'une gangue de pierre. Solo Morasso le toucha. La peau était froide, mais pas comme celle d'un mort. Plus froide encore. On aurait pu croire qu'il sortait d'un congélateur. S'il ne coulait pas une seule goutte de sang dans ses veines, il devait circuler un liquide démoniaque.

« Où sont tes esclaves ? » demanda Solo Morasso.

Xorron se tourna lentement vers lui. Il y eut un instant de silence.

« Ils sont partout, répondit-il de cette voix sans timbre qui était la sienne depuis le début.

— Je sais, je sais, le coupa Thanatos. Je vois que certains ont déjà quitté leur tombe. Mais y en a-t-il beaucoup d'autres ?

— Les autres attendent mes ordres.

— Alors, donne-les.

— Retirez-vous jusqu'à votre voiture afin qu'ils aient la place de se lever. »

Thanatos, Lady X et Tokata reculèrent de quelques pas. Ce qui se passa ensuite fut certainement un des événements les plus fantastiques qu'aient jamais vécu les trois sinistres personnages.

Xorron posa un genou sur le sol en leur tournant le dos. Il écarta les bras et on put distinguer nettement son squelette à travers sa peau translucide. Il se pencha, posa son front sur le sol, les deux mains bien à plat. Au même moment, la couleur du sol se modifia. L'herbe et la terre devinrent à leur tour translucides, puis transparentes comme du verre. A leur grande stupéfaction, Solo Morasso, Lady X et Tokata purent voir sous terre. Thanatos avait beau être lui-même mi-démon mi-homme, il ne put s'empêcher de frémir. Il jeta un bref coup d'œil à Lady X ; elle aussi était impressionnée.

Le sous-sol était truffé de cadavres !

Seul Tokata resta de marbre. Figé comme une statue, sa main unique crispée sur son sabre, il semblait ne pas s'intéresser au spectacle, ayant lui aussi vécu des instants semblables, en tant que mort vivant arraché à la tombe.

Xorron se releva et prononça des formules incantatoires dans une langue que seuls les démons pouvaient comprendre.

Aussitôt, les morts vivants qui reposaient à quelques mètres sous la surface du sol, se mirent à bouger.

« Regarde ! » chuchota Thanatos en découvrant les silhouettes en train de se redresser lentement.

Ce n'était pas seulement des zombies qui renaissaient à la vie, mais aussi des goules au corps spongieux et qui déjà frétillaient, débordantes de vie. Ce fut l'une d'entre elles qui apparut la première à l'air libre. Elle était grasse, de couleur terreuse, et dégageait une odeur épouvantable. Thanatos ne put retenir une grimace de dégoût.

A peine la goule se fut-elle dressée sur ses jambes, qu'apparut un nouveau monstre. Une créature à la peau sombre et portant sur le front les deux cornes qui sont la marque du diable. Les yeux rouges semblaient deux morceaux de braises. Puis, les zombies jaillirent à leur tour, cadavres à demi décomposés, suivis de goules ricanantes. Tous ces monstres hideux se groupèrent autour de leur seigneur et maître.

Thanatos jubilait. Cette horde de créatures affamées allait être la sienne. Il commençait à entrevoir l'étendue de son futur pouvoir.

Lorsque le dernier mort vivant eut quitté sa tombe, le sol reprit sa couleur normale. Thanatos compta alors les monstres qui entouraient Xorron : quatre goules, cinq zombies et l'incroyable créature aux yeux rouges. Pour l'instant, cela devrait suffire, pensa-t-il.

Xorron se tourna vers lui.

« Tous ceux qui ont été enterrés à mes côtés sont désormais réveillés.

— Félicitations, dit Solo Morasso. Que s'est-il passé ?

— Nous venions d'Espagne. Un bateau nous a transportés. On m'avait déjà emmuré dans cette statue en mortier béni et mes serviteurs reposaient dans des cercueils d'argent. Moi, l'argent ne me fait aucun effet, mais sur eux, si. Ils sont paralysés dès qu'ils entrent en contact avec ce métal.

— L'argent ne les détruit pas ? s'étonna Solo Morasso.

— Pas tant que mon pouvoir magique les protège. A l'époque, l'argent n'eut pas la force

43

de les anéantir. C'est pourquoi ils ont pu survivre en attendant que je les tire de leur position.

— Et comment peut-on te détruire, toi ? demanda Thanatos.

— Il n'existe aucun moyen de me tuer. Ni par le feu, ni pas l'argent. Ma peau de démon me rend invulnérable.

— Vraiment ? gronda Thanatos.

— S'il existait une arme susceptible de m'anéantir, crois-tu que je te la révélerais ? »

Solo Morasso préféra ne pas insister.

Xorron était un chef et les créatures immondes qui le vénéraient lui obéissaient au doigt et à l'œil. Cependant, un des zombies profita d'un moment d'inattention pour avancer sur Lady X. Il avait senti la présence de cette femme bien vivante et une irrépressible pulsion de mort l'entraînait vers elle. La jeune femme ne le découvrit qu'en sentant une main glacée se poser sur son épaule.

Elle sursauta et eut une grimace de dégoût. Mais elle réagit brutalement et frappa le monstre au visage avec le canon de sa mitraillette. Il y eut un choc mou, une balafre s'ouvrit dans la chair flasque. Le zombie ne désarma pas pour autant. Il se rua en avant.

Lady X tira une rafale : cinq balles, dont trois se logèrent dans la tête, arrachant la moitié du visage. La créature tituba en reculant puis s'étala de tout son long, définitivement hors de combat.

Lady X se tourna vers le reste de la bande. Sa voix était aussi tranchante qu'un rasoir :

« Encore une plaisanterie comme celle-là, lança-t-elle, et je vous extermine tous, compris ? »

Xorron ne broncha pas. Solo Morasso hocha la tête en direction de sa complice.

« Tu as bien fait, murmura-t-il. Il faut leur montrer que nous sommes les maîtres. » Il se tourna vers Xorron : « Dis-le-leur ! Ils trouveront suffisamment de quoi se distraire dans cette ville. Et ce sera grâce à nous ! Dès la nuit prochaine, nous soumettrons New York à notre loi, mais jusque-là, mieux vaut ne pas révéler notre existence. On a déjà certainement dû apercevoir ceux qui ont quitté leur tombe. C'était un avertissement suffisant. Les autorités seraient trop contentes d'avoir le temps de prendre des dispositions... »

Thanatos se frotta les mains. L'heure de son triomphe approchait.

Xorron, le formidable Xorron, avait enfin rejoint les rangs de son armée du crime !

Jamais une telle brochette de démons n'avait été réunie entre les mains d'un seul maître.

Un sourire sardonique plissa les lèvres de l'exmaffioso. Il allait enfin pouvoir frapper fort, très fort !

« Prends garde, Asmodée ! pensa-t-il. Ton heure approche et je n'ai rien oublié de tes offenses. Je suis aussi sicilien, après tout... »

CHAPITRE 4

L'appel téléphonique en provenance de New York m'avait mis sur le qui-vive.

Je me souvenais parfaitement de Jo Barracuda. Nous avions déjà eu l'occasion de nous battre côte à côte contre un vaisseau vampire, quelques années auparavant, et nous avions manqué laisser notre peau dans la bagarre. Jo n'avait rien d'un plaisantin, et s'il me lançait un SOS, c'est qu'il avait de bonnes raisons pour cela.

De mon côté, j'avais aussi des raisons de m'intéresser à New York. A la suite de cette affaire de goules dans le métro londonien, plusieurs indications concordantes m'avaient laissé penser que Thanatos, alias Solo Morasso, se trouvait là-bas, et je savais que ce démon à figure humaine rêvait de réveiller Xorron afin de compléter sa sinistre Ligue du crime. Mes amis et moi avions cherché à retrouver avant lui le maître des zombies et des goules. Sans succès. Certes, nous savions que Xorron se terrait à New York, mais où ?

Et, tout à coup, cet appel à l'aide.

J'étais déjà intervenu plusieurs fois à New York, contre le Vampire de Manhattan, puis contre les Flics de l'Horreur, et je n'avais pas oublié la journaliste Laurie Ball et le capitaine Hamilton, de vieux amis. Le moment semblait venu de leur rendre une petite visite. Cela néanmoins posait un problème "diplomatique". Pang Lim et moi — car j'avais emmené mon fidèle assistant chinois — étions cette fois en mission presque secrète. Peu de gens étaient au courant de l'affaire, sur laquelle le FBI entendait garder la haute main. Jo Barracuda n'avait reçu la permission de me faire venir qu'à la condition que ça ne s'ébruite pas.

Notre avion n'allait pas tarder à se poser à Kennedy Airport, où Jo devait venir nous accueillir.

Nous avions obtenu une autorisation spéciale pour nos armes et j'avais emporté avec moi le glaive ayant appartenu à Destero, le bourreau du Diable.

L'avion vira sur l'aile et décrivit une large courbe au-dessus de Jamaïca Bay, dont l'eau d'un gris bleu scintillait au soleil. Au tremblement de l'air, on devinait la chaleur d'étuve qui nous attendait à l'atterrissage. L'été londonien n'avait rien d'extraordinaire mais, ici, nous allions être servis...

Je regardai autour de moi les visages d'un groupe de touristes surexcités par l'approche de cette ville mythique. Ils ne savaient pas ce qui les attendait. Quelques hommes d'affaires restaient de marbre, et continuaient à compulser leurs dossiers. L'avion roula enfin sur la piste avant de s'immobiliser devant un des nombreux terminaux.

Les passagers défirent aussitôt leur ceinture et commencèrent à se lever et à récupérer leurs bagages à main. Nous empruntâmes à notre tour le couloir mobile qui permettait d'accéder aux bâtiments de l'aéroport.

Puis ce furent les formalités de douane. Pang Lim et moi étions restés quelque peu à l'écart, cherchant des yeux la silhouette de Jo Barracuda. J'étais étonné de ne pas le voir.

Tout à coup, un jeune homme taillé en hercule et portant l'uniforme de douanier s'approcha de nous. Il s'adressa à moi sans hésiter :

« Monsieur Sinclair ?

— C'est moi.

— Vous êtes attendus. Si vous voulez bien vous donner la peine de me suivre. »

Nous lui emboîtâmes aussitôt le pas et il nous conduisit dans une petite pièce meublée seulement d'une table et d'un fauteuil. Mais dans ce fauteuil était installée une vieille connaissance.

Jo Barracuda se leva en nous apercevant et un large sourire illumina son visage.

« John Sinclair ! s'écria-t-il. Te voilà donc, vieux chasseur de spectres ! Je suis vraiment content de te voir.

— J'espère que tu ne seras pas le seul, répondis-je.

— Ah ! ça, je ne sais pas ce que vont penser quelques créatures malfaisantes de ta connaissance ! Mais, à leur place, je n'aimerais pas te savoir à New York !

— Ne me prends tout de même pas pour Superman !

— C'est ce que nous allons voir, fit Jo. Mais inutile de perdre du temps. Nous avons rendez-vous au siège du FBI. »

A peine sortis des bâtiments de l'aéroport, nous sentîmes la chaleur nous tomber sur les épaules comme une chape de plomb fondu. On se serait cru sous les tropiques, à cela près qu'il n'y avait pas la moindre petite brise bienfaisante. D'un revers de main, j'essuyai la sueur qui perlait déjà à mon front. Jo vit mon geste :

« Prépare-toi au pire. A Manhattan, on ne peut presque pas respirer.

— Ça promet ! » dis-je.

Jo nous fit monter dans une vieille Ford brinquebalante qui, bien sûr, n'était pas climatisée. J'ouvris la glace en grand pour profiter d'un courant d'air brûlant.

« Vous savez, nous confia Jo, cette chaleur ne nous simplifie pas la tâche. Dès que la température monte, le pourcentage de meurtres et de bagarres grimpe proportionnellement.

— C'est partout pareil », soupirai-je.

Nous entrâmes dans New York par la Van Wijck Express Way, une pénétrante qui traversait Queens. Je m'intéressai relativement peu à la circulation et au paysage, et écoutai avec attention ce que nous expliquait Jo.

Il évoqua l'apparition des zombies dans le sud du Bronx et raconta la fusillade dans laquelle gangsters et policiers s'étaient retrouvés côte à côte.

« C'est bien la première fois qu'on voyait ça ! gloussa-t-il.

— Et depuis, plus rien ?

— Non, nous avons fouillé bon nombre de quartiers de fond en comble sans résultat.

— Ce qui ne veut pas dire que cette affaire est réglée.

— C'est bien pourquoi on vous a fait venir...

— Solo Morasso ? demandai-je. Toujours pas de nouvelles ? »

Jo Barracuda hocha la tête et une ride soucieuse apparut sur son front.

« Non, John. Tu m'avais dit qu'il se trouvait probablement à New York et nous avons tout retourné pour le dénicher. Mais là aussi sans résultat.

— Évidemment, ce fils de chienne est bien trop malin pour laisser la moindre trace derrière lui.

— Heureusement, poursuivit Jo, nous avons pu tenir la presse en dehors du coup. Ça arrangeait aussi les truands, qui ont été d'une remarquable discrétion, ajouta le policier noir avec un petit rire. Leur coopération et leur silence nous ont permis d'éviter un mouvement de panique. »

Jo se tut. La voiture avait atteint le centre de Queens. Comme à chacune de mes arrivées, je m'étonnai de la différence entre ce quartier et Manhattan. Rien ici ne ressemblait à l'image traditionnelle que les Européens se font de New York : des champs de gratte-ciel à perte de vue. On se serait presque cru en province... Une sorte de nappe de brouillard filtrait les rayons du soleil, mais la chaleur n'en était que plus accablante.

Pour gagner la presqu'île de Manhattan, Jo emprunta le tunnel qui passe sous l'East River. Il y avait la queue au péage.

« Qu'est-ce que c'est que cette arme que tu gardes contre toi ? demanda Jo à Pang Lim.

— Un glaive.

— Hum, fit le policier, ce n'est pas un peu moyenâgeux ?

— Peut-être, répondit Pang Lim avec un sourire. Mais c'est aussi très efficace contre les zombies et autres créatures démoniaques.

— Au fait, demandai-je, quel dispositif avez-vous mis en place ?

— Nous sommes en état d'alerte maximum. Non seulement le FBI, mais aussi la police de la ville.

— Le capitaine Hamilton est-il toujours en fonction ?

— Ouais. Et il n'a pas envie de prendre sa retraite, crois-moi, plaisanta Jo.

— Il a été prévenu de mon arrivée ?

— Non. Je suis resté très discret à ce propos. Tu connais bien Hamilton ?

— Oui. J'ai déjà eu l'occasion de travailler avec lui. C'est un homme très compétent.

— Espérons qu'il n'aura pas à intervenir, soupira Jo Barracuda. Si nous sommes obligés d'utiliser vraiment toutes les forces de police, c'est que ça ira très mal ! »

Nous n'échangeâmes plus un mot jusqu'à ce que Jo se gare devant l'immeuble du FBI, Federal Plazza, au sud de Manhattan, non loin de City Hall et du World Trade Center, les deux gratte-ciel les plus hauts de New York. Celui du FBI ne comptait que quarante étages, un nain !

En fait, les services fédéraux n'en occupaient que quatre, les 22e, 24e, 25e, et 26e. Un des côtés donnait sur Broadway.

J'observai un instant les passants, pour la plupart des employés et des hommes d'affaires qui, malgré la chaleur étouffante, portaient costume et cravate. On entendait le mugissement de quelques sirènes de police et le curieux klaxon des voitures de pompiers. Rien que des bruits ordinaires.

La circulation était si dense que je ne pus m'empêcher de demander :

« Comment faites-vous en cas d'urgence ?

— Je ne suis pas à New York depuis très longtemps, répondit Jo. Mais j'ai entendu parler d'hélicoptères... »

Je jetai un coup d'œil aux façades des nouveaux immeubles. Métal et verre. De vrais miroirs...

Le bureau de notre ami se trouvait au 22e étage et n'était guère plus confortable que le mien à Londres. Au mur, un plan de New York et un portrait du président Reagan tout sourire.

Jo Barracuda disparut un instant. Lorsqu'il revint, il rapportait trois gobelets de café froid, mais il n'était pas seul. Un homme aux cheveux châtains, très grand, l'accompagnait. Jo nous le présenta comme étant Abe Douglas. Il nous serra la main avec un sourire fatigué.

Je compris très vite pourquoi. C'était lui qui commandait le détachement policier lors de l'affrontement avec les zombies dans le Bronx.

Il nous montra l'endroit sur le plan.

« Peut-on supposer que le reste des zombies, si toutefois il y en a, se soit replié sur Manhattan ?

— Ce n'est pas exclu », me répondit Abe avec une grimace.

Je bus une gorgée de café et poursuivis :

« Lors de votre intervention, avez-vous remarqué si ces monstres suivaient un chef ? Est-ce que l'un d'entre eux dirigeait la troupe ?

— C'est possible, bougonna Abe Douglas en allumant un cigarillo. Mais je vous avoue que nous n'avons pas eu le loisir de nous intéresser à ce détail.

— Dommage.

— Pourquoi cette question ?

— J'ai une idée derrière la tête, bien entendu. En fait, depuis un certain temps, je cherche le fameux Solo Morasso dont vous avez probablement entendu parler... Il serait arrivé à New York il y a quelques semaines pour entrer en contact avec un démon redoutable : Xorron, le maître des zombies et des goules... Qu'un certain nombre d'entre eux se baladent la nuit dans le Bronx peut signifier que Solo Morasso aurait atteint son but. On l'appelle aussi Thanatos. S'il a réveillé Xorron, une armée de zombies risque de plonger votre ville dans le chaos. »

Abe Douglas m'avait écouté la bouche entrouverte. Lorsque j'eus terminé, le sourire fatigué s'était figé au coin de ses lèvres.

« Si je n'avais pas vu ce que j'ai vu, dit-il, je vous prendrais pour un farceur. Mais je dois reconnaître que je suis plutôt porté à vous croire. Nous ignorons vraiment l'ampleur du danger.

— Que dit la hiérarchie ?

— Elle nous donne carte blanche.

— C'est heureux. »

J'avais tellement vu de bureaucrates bornés qui n'admettaient pas que les hommes, sur le terrain, puissent ne pas se tromper !

« Malheureusement, nous ne savons pas par où commencer nos recherches », soupira Pang Lim.

Je saisis la perche qu'il me tendait.

« C'est exact. Nous sommes ici à attendre que l'ennemi se manifeste et nous n'avons pas l'initiative. Cette situation ne peut pas durer.

— Vous avez raison », approuva Abe Douglas avec force.

A ce moment-là, le téléphone sonna. Jo Barracuda décrocha. Je vis son visage se crisper.

« Okay, fit-il après avoir écouté quelques secondes. Laissez tout en l'état, nous arrivons.

— Que se passe-t-il ? demanda Abe Douglas.

— Je n'en sais trop rien ! Quelque chose qui pourrait avoir un rapport avec les zombies... Dans Central Park ! »

CHAPITRE 5

Central Park me fait toujours penser à Hyde Park, à Londres. C'est le même fourmillement de promeneurs par beau temps — des familles, des jeunes, tous milieux sociaux confondus.

Mais ce jour-là, ce n'étaient pas les flâneurs qui retenaient mon attention. J'avais bien autre chose en tête. La police avait bouclé un coin du parc autour d'une clairière dont la terre avait été profondément labourée, et au centre de laquelle une statue gisait, brisée sur toute sa longueur.

Abe Douglas ne savait trop que penser. Pour moi, c'était clair comme de l'eau de roche.

« Des morts vivants viennent de quitter leur tombe », expliquai-je.

Le policier du FBI me regarda avec des yeux ronds.

« Et alors ? fis-je. Vous croyez que les zombies tombent du ciel ?

— Non, évidemment, mais tout de même... »

Je préférai changer de sujet. Il est presque toujours inutile de brusquer les gens.

« Comment avez-vous été prévenu ?

— J'avais ordonné qu'on me signale tout événement étrange, dit Abe Douglas sans conviction.

— Vous avez bien fait », murmurai-je. J'examinai attentivement la terre autour de moi et conclus : « Une dizaine de zombies ont dû quitter leur tombe, peut-être davantage... »

Les curieux se pressaient derrière les cordons de police et pourtant il n'y avait pas grand-chose à voir. Pas encore... J'allai m'entretenir avec les inspecteurs qui avaient commencé à examiner le terrain.

« Il y a des traces de pneus, me dit l'un d'eux.

— Vous avez une idée du type de véhicule ?

— Vraisemblablement une voiture lourde et puissante. Une Cadillac peut-être...

— Typiquement,   le   genre   de   voiture

qu'affectionne Solo Morasso, expliquai-je à Abe Douglas.

— Il l'a sans doute louée ou plutôt fait louer par un prête-nom, dit-il. Nous allons mener une enquête, nous ne devrions pas tarder à trouver une piste. »

Je le vis sourire, avec soulagement cette fois. Mais son visage soudain se figea. Quelque part, une femme venait de hurler.

L'instant d'après, elle jaillit d'un buisson, livide, chancelante. Nous nous précipitâmes à sa rencontre. Elle était en état de choc et hoquetait des mots sans suite en désignant les fourrés derrière elle.

Pang Lim et Jo Barracuda disparurent dans le buisson pour en ressortir quelques secondes plus tard. L'expression de leur visage en disait long sur ce qu'ils venaient de découvrir.

« Alors ? fis-je nerveusement.

— Va voir toi-même », répondit Pang Lim d'une voix rauque.

Je pénétrai à mon tour dans les buissons, Abe Douglas sur les talons.

« Mon Dieu ! » s'écria-t-il.

Je n'ouvris pas la bouche et me contentai d'examiner un cadavre au visage à moitié arraché. Celui qui l'avait ainsi massacré l'avait traîné là pour le dissimuler.

« Les zombies ! murmura Jo Barracuda qui venait de me rejoindre.

— Non, fis-je. Les zombies n'auraient pas tué un des leurs. Ce cadavre est celui d'un zombie liquidé de plusieurs balles en pleine tête !

— Ce ne sont pas non plus les policiers, murmura Abe.

— Alors qui ? demanda Jo.

— Probablement un des membres de la Ligue du Crime, répondit Pang Lim. Ces gens-là ont la détente facile.

— Mais c'est illogique ! s'écria Abe. Pourquoi tueraient-ils des créatures dont ils comptent se servir ?

— C'est vrai. Mais nous ne savons pas encore ce qui s'est réellement passé ici... »

Ils avaient réussi à ne pas se faire repérer. Thanatos, les membres de la Ligue du Crime et les zombies s'étaient fondus dans la nuit. Xorron tenait ses troupes bien en main et Solo Morasso leur avait préparé une retraite sûre.

Il s'était souvenu des égouts londoniens qui lui avaient si souvent servi de refuge, et il avait pensé utiliser ceux de New York pour cacher les monstres en attendant le moment de lancer son offensive.

L'horrible troupe atteignit rapidement le sud de Central Park. Pas question de s'aventurer à l'air libre dans le quartier des hôtels fréquenté par des milliers de touristes. Non loin de Columbus Circle, avant de sortir du parc, Solo

Morasso fit descendre ses alliés dans le sous-sol new-yorkais, les zombies d'abord, puis les goules, et enfin Xorron. Tous, y compris ce dernier, avaient soif de meurtres, mais Thanatos fut intraitable.

« Notre heure n'est pas encore venue. Il faut attendre. »

Xorron s'inclina et s'enfonça dans les égouts. Mais Solo Morasso était inquiet. Il n'avait qu'une confiance limitée en son nouveau partenaire. Lorsqu'il referma la bouche d'égout, il avait l'air soucieux. Lady X s'en aperçut.

« Quelque chose ne va pas ? demanda-t-elle.

— Non, non. Je suis juste un peu ennuyé de laisser autant de monstres livrés à eux-mêmes.

— Tu veux que j'aille chercher du renfort pour les surveiller ?

— Mieux vaut ne pas mettre les autres dans le coup. Inutile de se faire repérer. Espérons qu'ils sauront se tenir tranquilles. Viens. »

Ils regagnèrent la voiture. Tokata les y attendait, assis sur le siège arrière. Il se montrait le moins possible, craignant d'attirer l'attention, tant son aspect était singulier et effrayant. Solo Morasso avait loué des chambres dans un hôtel dont le garage communiquait directement par un ascenseur avec les étages. Ainsi Tokata n'avait-il nul besoin de s'aventurer dans la rue.

Ils n'eurent pas longtemps à rouler. La lourde limousine traversa Columbus Circle et emprunta Broadway. Au carrefour suivant, ils tournèrent dans la 53e rue et pénétrèrent bientôt dans la cour de l'hôtel, avant de s'engager sur la rampe d'accès au garage.

Les phares de la Cadillac éclairèrent un bref instant un groupe de touristes noctambules, puis Lady X conduisit la voiture à l'emplacement qui lui était réservé.

Elle descendit la première. Solo Morasso et Tokata attendirent. L'ex-terroriste scruta les alentours et écouta attentivement. On entendit les rires des touristes dans la cour de l'hôtel.

« Alors ? fit Solo Morasso par la glace entrouverte. La voie est libre ?

— Oui, je crois. Mais attendez une seconde, je vais appeler l'ascenseur. »

La jeune femme traversa le garage. Elle avait laissé sa mitraillette dans la Cadillac afin de ne pas attirer l'attention en cas de rencontre. Au reste, personne, dans cet hôtel, ne s'intéressait à personne.

Jusqu'alors tout s'était bien passé. Mais, ce soir-là, Lady X éprouvait un désagréable sentiment d'insécurité. Elle se sentait épiée, comme si, dans l'ombre, quelqu'un ne la quittait pas des yeux.

Elle s'immobilisa.

Quelques lampes grillées n'ayant jamais été changées, l'éclairage était insuffisant.

A gauche et à droite, les voitures des clients

de l'hôtel à demi enfouies dans la pénombre. En face, la rampe d'accès...

Un bruit de pas.

Lady X se tendit. Elle ignorait la peur, mais savait estimer une situation et, en l'occurrence, elle était en position d'infériorité. Son ennemi la voyait, alors qu'elle ne pouvait pas encore le localiser.

Et ce n'était pas *un* ennemi. Au bruit des pas, elle comprit qu'ils étaient au moins deux.

Trois, même.

Elle les vit sortir de l'ombre. Des petits voyous. Un Blanc et deux Noirs, ces derniers en short et T-shirt. Leurs chaussures de sport blanches fut ce qu'elle enregistra d'abord, avec l'éclat des lames de couteaux.

Le Blanc portait un blouson rouge ouvert sur son torse nu et un pantalon noir très étroit. Il avait les mains vides, mais on distinguait la crosse d'un revolver glissé dans sa ceinture.

C'était un trio comme il en circule beaucoup la nuit, dans certains quartiers de New York. Des jeunes accoutumés à la violence et qui ne connaissaient pas d'autre loi que la leur.

Lady X prit une profonde inspiration. Elle avait tout de suite compris ce que cherchaient les trois délinquants.

« Tirez-vous. »

Trois ricanements lui répondirent, puis le Blanc prit la parole :

« Dis donc, ma mignonne, tu crois pas qu'on a passé la moitié de la nuit dans ce trou pour rien ? Ça fait une semaine qu'on te guette, toi et le vieux débris qui t'accompagne. Cette fois, tu ne nous échapperas pas.

— Filez avant de faire une bêtise, lança Lady X en pensant à Tokata que les trois voyous n'avaient pas remarqué.

— Vous entendez ça ! ricana le Blanc. C'est toi qu'on veut ma jolie. C'est une bêtise, ça ? Je passerai le premier, et ensuite mes deux copains. Et comme on n'a pas envie que tu ameutes l'hôtel, on t'a montré nos couteaux au cas où il te prendrait la fantaisie de hurler.

— Tirez-vous, je vous dis ! gronda Lady X. Vous allez avoir des ennuis. »

En temps normal, l'ex-terroriste n'aurait pas eu cette patience mais elle voulait éviter un drame dans l'hôtel. Les trois délinquants n'imaginèrent pas une seconde qu'ils étaient en train de jouer avec leur vie.

Le garçon sortit un revolver de sa ceinture et lança à un des Noirs.

« Occupe-toi du vieux, et rase-lui le cou d'un peu près, Blabby. »

L'autre s'en alla d'un pas dansant, en sifflant un air à la mode.

« Pauvre type ! » pensa Lady X.

Tout à coup, Blabby s'immobilisa.

« Hé là ! s'écria-t-il.

— Qu'est-ce qui se passe ? s'énerva le Blanc.

— Quelqu'un vient.

— Si c'est le vieux, tu...

— Non, je... »

Mais il n'acheva pas et battit en retraite, les yeux écarquillés de terreur, son couteau tremblant dans sa main.

« Tu as la trouille ou quoi ? demanda le Blanc tandis que Lady X laissait échapper un rire moqueur.

— Regarde toi-même, ballot », dit-elle.

Le voyou se retourna au moment où Tokata entrait en pleine lumière.

Il avançait avec un calme effrayant. Dans son visage parcheminé, ses yeux glacés semblaient transpercer les garçons. Thanatos avait fini pas s'impatienter et l'avait envoyé voir ce qui se passait.

Le chef du trio sentit son sang se glacer dans ses veines, mais il voulut crâner.

« Hé ! là, camarade, lança-t-il d'une voix mal assurée. On t'a pas invité à notre party. Surtout dans cette tenue de cirque ! »

Tokata ne répondit pas. Il continuait à avancer, levant son sabre avec une lenteur atroce. Les trois voyous se figèrent, muets de stupeur, puis le Blanc réagit.

« La fille, vite ! » cria-t-il.

Mais "la fille" ne se laissa pas faire. D'un geste sec, elle écarta la lame qui la menaçait puis frappa du tranchant de la main en plein sternum. Son adversaire recula, le souffle coupé, et alla s'effondrer contre une voiture.

Alors, le Blanc tira.

La balle traversa la poitrine du samouraï de Satan, qui tressaillit sous l'impact. « Il va s'écrouler, pensa le voyou. Il va s'écrouler... Non... Ce n'est pas possible. »

Tokata continuait d'avancer du même pas tranquille, le sabre levé à hauteur du visage. Le garçon voulut tirer une nouvelle fois, mais le samouraï fut le plus rapide. Il y eut un éclair, puis le sabre entailla profondément l'avant-bras du voyou qui poussa un hurlement de douleur en lâchant son arme.

Il pivota pour s'enfuir, mais une fulgurante douleur irradia son dos. Il trébucha, tenta de se retenir à une voiture, se retourna et sut qu'il allait mourir.

Il ouvrit la bouche pour crier, mais le samouraï de Satan ne lui en laissa pas le temps. Le voyou s'effondra lentement sur le sol pour se vider de son sang.

Ses deux complices avaient disparu.

Thanatos, qui s'était approché, en conçut une vive contrariété.

« Ils vont parler, c'est sûr !

— Non, fit Lady X. Ils se tairont. Je connais ces petits voyous new-yorkais. Ils ont la conscience tellement chargée qu'ils rougissent rien qu'en apercevant un policier. Non, crois-moi, ils vont se terrer quelque part et recommenceront dès qu'ils auront oublié.

— Qu'est-ce qu'on fait du cadavre ? On n'avait vraiment pas besoin de ça, grommela Solo Morasso.

— Tokata va s'en occuper.

— Pour le fourrer où ? »

Lady X n'avait pas de réponse à cette question. On ne pouvait tout de même pas le laisser là. Finalement, ils décidèrent de le mettre dans le coffre d'une voiture, au hasard.

Tokata posa la pointe de son sabre sur la serrure d'un coffre de Mercedes, qui s'ouvrit aussitôt. Il y déposa le cadavre et le referma.

« J'imagine la tête du propriétaire quand il voudra charger ses bagages ! ricana Solo Morasso.

— Allons nous coucher, proposa Lady X. La nuit prochaine risque d'être rude. »

CHAPITRE 6

L'enquête pour retrouver le propriétaire de la Cadillac suivait son cours. Une armée de policiers visitait les vendeurs et les loueurs de voitures.

Le décalage horaire et la fatigue du voyage se faisaient sentir. On nous avait installé un lit de camp dans un bureau vide et nous en profitâmes, Pang Lim et moi, pour dormir quelques heures. J'avais demandé qu'on me réveille à la moindre nouvelle.

Lorsqu'on me secoua, je fis un bond. Je regardai autour de moi sans me souvenir de l'endroit où j'étais. Puis je reconnus le visage souriant de Jo Barracuda.

« Salut, John ! En forme ?

— Euh, ça pourrait être pire. »

Pang Lim s'éveilla à son tour et nous écoutâmes ce que Jo avait à nous dire.

« Nous le tenons !

— Qui ? Thanatos ?

— Non, pas encore. Mais nous avons retrouvé la trace de la Cadillac.

— Bien, très bien, fis-je avec un petit sifflement satisfait. Où ça ?

— Chez un loueur de voitures. Thanatos n'était pas seul. Une jeune femme l'accompagnait, brune, cheveux longs...

— C'est Lady X...

— On a diffusé son signalement. Tous les policiers de la ville ont l'ordre d'ouvrir l'œil. Ils ne vont pas tarder à les repérer, crois-moi.

— Espérons-le », murmurai-je en me levant pour aller chercher un café.

J'en bus quelques gorgées pour chasser le mauvais goût que j'avais dans la bouche.

« Pas d'autres nouvelles ? demandai-je en retournant dans le bureau de Jo.

— A quel sujet ?

— Pas d'apparition de zombies ?

— Non, rien à déclarer de ce côté-là, répondit

Jo. Naturellement, quelques meurtres, beaucoup de bagarres...

— Le quotidien, quoi.

— Oui... Au fait, nous avons le rapport du médecin légiste sur le cadavre trouvé à Central Park. D'après ses premières constatations, ce type serait mort depuis plusieurs siècles et son corps se serait momifié... »

Abe Douglas entra dans la pièce, une feuille à la main.

« On vient de trouver un cadavre dans le parking d'un hôtel. Un client l'a découvert en ouvrant le coffre de sa voiture. J'aimerais qu'on aille faire un tour sur place.

— Pourquoi ? demandai-je.

— J'ai eu le médecin légiste au téléphone. Le type a été tué avec un sabre et...

— Tokata ! » m'écriai-je.

Pang Lim proposa d'emporter nos armes. J'approuvai d'un signe de tête. Le Samouraï de Satan n'était pas un mince adversaire.

Quelques minutes plus tard, nous foncions dans les rues de New York, sirère hurlante. Jo Barracuda avait tenu à nous piloter lui-même. Le soir tombait mais la chaleur était toujours aussi accablante.

Au volant, Jo faisait preuve d'une ahurissante dextérité. Lorsqu'il ne pouvait pas passer, il n'hésitait pas à monter sur les trottoirs. En arrivant à destination, j'étais trempé de sueur et je ne savais plus si c'était la chaleur ou la façon de conduire de Jo.

Nous nous garâmes dans la cour de l'hôtel à côté des voitures de la Criminelle. En arrivant dans le garage, je n'eus aucun mal à identifier les propriétaires de la Mercedes dans laquelle avait été découvert le cadavre. Ils étaient là, tétanisés et blancs comme de la craie. Des traces de sang maculaient le sol. On avait recouvert le cadavre d'un drap, mais je demandai à le voir.

Le spectacle n'était pas joli. Ce pouvait être, en effet, la marque de Tokata. Le médecin légiste assurait que la mort remontait environ à une douzaine d'heures.

« Tant que cela ! m'étonnai-je.

— Oui. Le crime a dû avoir lieu autour de minuit. »

Je restai songeur. Si Tokata avait bien tué le type du coffre, c'était peut-être que Solo Morasso avait élu domicile dans cet hôtel. Mais quelle imprudence de louer la Cadillac sous son nom ! Sous-estimait-il à ce point la police de New York ?

Pang Lim interrompit mes réflexions en me tapotant l'épaule. Il me désigna une Cadillac rangée dans un coin du parking. J'alertai aussitôt Barracuda.

« Nom d'un chien ! s'écria-t-il. Ce serait trop beau si on pinçait Solo Morasso du premier coup.

— Attention, dis-je, on a affaire à forte partie. Ce zozo-là ne se laissera pas cravater sans réagir.

— Qu'est-ce que tu conseilles, John ?

— D'abord, nous assurer à la réception qu'il a bien loué une chambre ici et ensuite mobiliser des forces d'intervention suffisantes.

— Bien. »

Nous gagnâmes la réception de l'hôtel, deux étages plus haut. Il y régnait le calme feutré des palaces. Une quirielle d'employés attendait derrière un vaste comptoir. J'avisai celui qui paraissait être le responsable et le désignai à Jo qui s'avança et présenta son insigne du FBI.

L'homme se raidit et une lueur d'inquiétude passa dans son regard. Il murmura d'une voix blanche :

« Je vous en prie, monsieur, n'alarmez pas notre clientèle.

— Ça dépend entièrement de votre coopération, assura Jo avec un large sourire. Avez-vous parmi vos clients un certain Solo Morasso ?

— Nous allons le savoir tout de suite, monsieur », répondit l'employé avec un empressement comique.

Il feuilleta fébrilement un fichier en répétant le nom qu'on lui avait indiqué. Puis il releva la tête, l'air navré et soulagé à la fois.

« Non, monsieur. Nous n'avons aucun client portant ce nom. »

Ce fut une petite déception, de courte durée toutefois, car l'homme ajouta :

« Nous avons bien quelqu'un dont le nom est un peu voisin. Un certain Moran, qui a loué une suite avec sa fille.

— Ah ! oui ? fis-je en levant un sourcil. A quoi ressemble la demoiselle ?

— Je ne l'ai vue qu'une fois, lors de leur arrivée, et j'aurais du mal à vous la décrire », répondit l'employé apparemment sincère.

Par bonheur, j'avais une photo de Lady X dans mon portefeuille. Je la lui tendis.

« Vous la reconnaissez ? »

Il ajusta ses lunettes et examina attentivement le cliché. Puis il eut une moue dubitative.

« Ce pourrait être elle.

— Merci, dis-je en reprenant la photo. Votre aide nous a été précieuse.

— Vous comptez procéder à une arrestation ? demanda l'employé, dont l'inquiétude grandissait.

— Non, non, dit Jo d'un air affable. Nous nous livrons simplement à une enquête de routine.

— Ah ! bon ! » s'exclama l'autre en poussant un soupir de soulagement.

Jo m'entraîna un peu plus loin et chuchota :

« Mieux valait ne pas lui demander le numéro de la suite, il se serait évanoui. Montons dans les étages, nous trouverons bien une femme de chambre à interroger. »

En effet, la première que nous rencontrâmes nous livra le renseignement en échange d'un bon pourboire : premier étage, suite n° 3.

En empruntant le couloir qui y conduisait, je mesurai les risques que nous prenions. Si Tokata, Lady X et Solo Morasso étaient là, ils ne se laisseraient pas cueillir sans résistance.

Jo posa la main sur mon bras pour m'arrêter.

« Il faut faire cerner l'immeuble, John. C'est toi qui l'as dit.

— J'ai changé d'avis. Ça les alerterait inutilement.

— Tu préfères qu'on essaie seuls ? »

Je fis signe que oui.

« On entre par la porte ? ironisa Pang Lim.

— Ça me paraît plus naturel », fis-je sur le même ton.

Et je frappai trois fois, vigoureusement. Une voix de femme répondit aussitôt. Je ne pus m'empêcher de sursauter en la reconnaissant. C'était la voix de Lady X.

« Que voulez-vous ?

— C'est un paquet pour vous.

— Un moment, s'il vous plaît ! »

J'adressai un signe rapide à Jo, qui s'aplatit contre le mur dans l'angle mort de la porte. Bien lui en prit, car Lady X réagit comme je m'y attendais.

Elle ouvrit le feu.

Son arme était munie d'un silencieux et il n'y eut presque aucun bruit, mais plusieurs trous apparurent dans la porte tandis que les balles allaient s'écraser sur le mur d'en face.

« Ne croyez pas m'avoir comme ça, fils de chienne ! » hurla-t-elle en tirant de nouveau.

Par chance pour nous, une des balles fracassa la serrure. J'avais dégainé et adressai un signe à Pang Lim qui, de son côté, avait tiré son glaive. Jo tenait son arme à la main.

Je poussai violemment la porte du pied et une nouvelle giclée de balles me répondit.

Puis plus rien.

Le silence.

Je me retins de bondir dans la pièce. Lady X était trop dangereuse pour que j'espère la prendre de vitesse. Je laissai passer quelques secondes, Pang Lim à mes côtés. Jo se tenait, frémissant d'impatience, de l'autre côté de la porte. Son arme n'était pas chargée à balles d'argent ; elle ne pourrait lui servir que contre Lady X. Tokata et Solo Morasso resteraient, eux, hors d'atteinte. Je lui lançai mon Beretta.

Une longue minute s'écoula sans que le moindre bruit ne parvienne de l'intérieur de la suite. Cela commençait à m'intriguer. Les membres de la Ligue du Crime n'étaient pas du genre à attendre que le ciel leur tombe sur la tête.

« Couvrez-moi ! » criai-je en m'élançant.

J'effectuai le plus beau roulé-boulé de ma vie et me retrouvai un genou en terre dans un couloir désert. A gauche et en face, deux portes closes.

« Venez ! »

Pang Lim et Jo se précipitèrent tandis que j'ouvrais la porte de gauche, donnant sur une salle de bain carrelée du sol au plafond.

Vide.

Pang Lim s'occupa de l'autre porte. Elle s'ouvrit sur une chambre vide elle aussi. La fenêtre était grande ouverte. Ils avaient pris le large...

Je traversai la pièce à grands pas et me penchai à l'extérieur. La fenêtre donnait sur une arrière-cour déserte. Je jurai entre mes dents. Nos chances de les coincer ce jour-là étaient nulles. Ils devaient déjà être en bas, perdus dans la foule, toujours nombreuse dans ce quartier.

Soudain, je tendis l'oreille.

« Que comptes-tu faire ? me demanda Jo.

— Chut », dis-je.

Des cris venaient de la rue. Des cris de panique.

CHAPITRE 7

Je décidai d'emprunter le même chemin que les fuyards èt sautai dans la cour. L'étage, heureusement, n'était pas très haut.

Pang Lim et Jo Barracuda m'imitèrent.

Nous débouchâmes dans le 53e rue, à une centaine de mètres de Broadway. Les cris venaient de cette direction.

Tout en courant, je demandai à Pang Lim de me passer le glaive de Destero. Il s'exécuta et sortit son revolver chargé à balles d'argent. Les passants s'écartaient craintivement pour dégager le trottoir devant nous.

Arrivé dans Broadway, j'hésitai un instant, puis remontai vers Columbus Circle. J'avais été bien inspiré car, à hauteur de l'immeuble Lincoln et Mercury, j'entendis les coups de feu.

Des passants se jetèrent à plat ventre en criant de terreur, d'autres se réfugièrent derrière des voitures ou dans des immeubles. Et ce fut la panique...

Lorsque Lady X tira une nouvelle rafale de mitraillette, je me plaquai à mon tour contre le sol. Bien m'en prit, car elle m'avait vu et reconnu. Les balles miaulèrent au-dessus de ma tête. Une vitrine explosa derrière moi.

Je relevai le nez pour apercevoir le Samouraï de Satan à côté de l'ex-terroriste. Ainsi, Thanatos s'était bien entouré de ses deux plus fidèles serviteurs !

Lady X lâcha une dernière rafale au jugé, puis pivota sur elle-même. Déjà, on entendait au loin le mugissement des sirènes de police. Je voulus me relever lorsqu'une voiture s'embrasa à moins d'une dizaine de mètres. Elle allait exploser ! Je piquai de nouveau du nez contre le maccadam et me protégeai la tête à deux mains.

Le véhicule explosa quelques secondes plus tard, blessant plusieurs personnes autour de nous. Pang Lim et moi nous relevâmes indemnes, mais Jo Barracuda saignait à l'épaule. Il vit mon regard inquiet et me rassura :

« Une simple égratignure », déclara-t-il.

Lady X, Tokata et Solo Morasso avaient un temps d'avance sur nous. Il nous était impossible de les rattraper, à présent. Je m'élançai néanmoins à leur poursuite par acquis de conscience.

J'allais abandonner, le souffle court, lorsque des cris perçants sortirent d'une bouche de métro. La sinistre bande semblait décidément apprécier le métro, à New York comme à Londres !

J'entraînai mes deux compagnons dans l'escalier qui s'enfonçait sous terre, mais nous fûmes presque aussitôt happés par une foule terrifiée qui se ruait en sens inverse.

Nous eûmes toutes les peines du monde à atteindre les quais sans être jetés à terre et piétinés.

Ce fut pour découvrir un spectacle insoutenable.

Tokata faisait le ménage.

Il assassinait purement et simplement quiconque se trouvait sur son chemin.

Un métro arriva au moment où nous franchissions les tourniquets.

Pang Lim tira, d'instinct.

La balle atteignit le samouraï dans le dos et il tomba sur les genoux. Lady X se retourna, nous reconnut et riposta sur-le-champ. Le canon de sa mitraillette cracha une courte flamme et les balles miaulèrent de nouveau à nos oreilles. Je fonçai derrière un pilier ainsi que mes deux compagnons.

Les portes des voitures s'ouvrirent.

Je pensai aux innocents qui allaient descendre pour se jeter dans les bras de la mort. Impossible de les avertir.

C'est alors que Thanatos entra en scène.

Il possédait des armes redoutables. Non seulement le boomerang d'argent qu'il m'avait volé, mais aussi le dé du malheur, un objet mystérieux qui permettait à son détenteur de faire le bien comme le mal.

Il l'avait déjà utilisé devant moi pour produire un terrifiant brouillard qui brûlait quiconque entrait en contact avec lui. Cette fois, il se contenta de l'utiliser pour protéger sa fuite. Il fallait qu'il se sente vraiment acculé pour avoir ainsi recours à la magie et révéler à tous sa présence à New York.

Il tendit le dé. Un tourbillon se forma aussitôt sous nos yeux, qui l'aspira lui et ses complices en moins de temps qu'il ne faut pour le dire.

Lorsque les voyageurs mirent le pied sur le quai, les trois criminels avaient disparu, laissant derrière eux morts et blessés. Ce fut une telle vision d'horreur que la plupart de ceux qui descendaient refluèrent précipitamment dans les voitures en hurlant.

Un haut-parleur annonça que tout danger était écarté — ce qui n'empêcha pas une ruée indescriptible vers les issues. Le métro repartit en grondant et disparut dans le tunnel.

Pang Lim, Jo et moi fîmes rapidement le point de la situation. Le visage de Jo était crispé de douleur et la manche de son uniforme poissée de sang. Il souffrait en serrant les dents. Il fallait l'évacuer sans attendre.

A cet instant, une foule de policiers fit irruption dans la station, accompagnés d'ambulanciers. Tout se passa très vite et les blessés furent dirigés vers les hôpitaux les plus proches.

Jo Barracuda refusa obstinément de les suivre et se fit soigner sur place. Sa blessure était superficielle, mais elle avait beaucoup saigné.

« Ce Thanatos est-il donc invulnérable ? me demanda-t-il avec inquiétude.

— On ne peut pas le savoir tant qu'on ne l'a pas vaincu, dis-je d'un air sombre. Mais ça se présente mal, en effet.

— Où crois-tu qu'il se cache à présent ? »

Je haussai les épaules.

« Difficile à dire. Grâce à son dé magique, il est en mesure de se réfugier dans une autre dimension.

— Nous n'avons pas de chance, soupira Jo.

Comme si nous n'avions pas assez d'ennuis avec les gangsters normaux !

— Pas de panique, déclarai-je en souriant pour rassurer notre ami. Tu as remarqué que le Samouraï de Satan était manchot ? Eh bien, c'est à moi qu'il le doit.

— Donc ils ne sont pas invulnérables ! » s'écria Jo, visiblement soulagé.

A l'extérieur, je pus constater l'efficacité de la police new-yorkaise. Le quartier était quadrillé par d'impressionnantes forces de sécurité. Les pompiers avaient éteint le début d'incendie provoqué par l'explosion de la voiture, dont le conducteur était mort. La liste des victimes de la Ligue du Crime s'allongeait de minute en minute et je me jurai de leur faire payer l'addition au prix fort.

Jo nous quitta pour aller téléphoner. J'en profitai pour fumer une cigarette et remarquai que les flics me dévisageaient avec curiosité. Je compris vite pourquoi : je tenais toujours à la main le glaive de Destero !

Je levai les yeux vers le ciel que teintaient déjà les lueurs du crépuscule.

« Tu penses à la même chose que moi ? me demanda Pang Lim.

— Peut-être...

— Je pense aux zombies, à la nuit qui tombe. C'est leur heure. Ils ne vont pas tarder à sortir de leur trou. Or, les rues de Manhattan fourmillent de monde... »

Il avait raison...

Les zombies n'attendraient pas pour attaquer. Et, cette fois, Xorron lui-même serait à leur tête.

Ils avaient attendu cette nuit pendant des siècles, allongés dans la terre humide. Ce soir-là, ils étaient enfin libres ! Libres, et cependant asservis à leur maître Xorron.

Terrés dans une canalisation d'égout, ils rongeaient leur frein. Xorron avait réussi à les faire tenir en place jusque-là, mais le maître des zombies et des goules savait que ça ne pourrait pas durer éternellement. Plus le temps passait, plus l'impatience de son horrible troupe augmentait. Lorsque la nuit tomba, ils commencèrent à s'agiter.

Les zombies se mirent en marche les premiers et gagnèrent un large canal, insensibles à l'eau fétide qui coulait autour de leurs jambes. La lumière bleuâtre qui éclairait ce monde souterrain ajoutait à l'horreur de cette scène. Les cadavres à demi momifiés, poussés par une irrésistible pulsion de mort, avançaient, tels des automates meurtriers, en quête d'une proie, d'un être vivant à tuer, à déchiqueter.

L'un d'eux glissa et fut aussitôt entraîné par la force du courant. Il se débattait sous l'œil indifférent de ses congénères, sans pousser le moindre cri. Quelques dizaines de mètres plus loin, il parvint à un escalier de fer scellé dans le mur, s'y accrocha et se remit debout, ruisselant d'une eau puante.

Xorron suivait sa bande, conscient de la difficulté qu'il aurait à la maîtriser. Car lui aussi éprouvait le même désir de tuer, de faire couler le sang de victimes innocentes.

Solo Morasso était en retard. Xorron se demanda pourquoi. Mais il n'eut pas le temps de réfléchir à la question : les goules à leur tour venaient de se mettre en branle.

Un rat fila sur le quai étroit qui longeait l'égout. Un zombie s'en empara au passage. L'animal disparaissait presque entièrement dans son poing. D'un geste sec, le zombie lui brisa la nuque puis mordit à pleines dents dans le cadavre encore pantelant.

Une goule voulut le lui arracher des mains, mais le zombie la frappa au visage avec une sauvagerie inouïe et plus personne n'osa le déranger.

Trois zombies s'étaient détachés du groupe, accompagnés par le monstre cornu. Ses yeux rouges scintillaient d'une lueur de plus en plus vive, et il tirait de temps à autre une langue pointue et avide.

Soudain, il y eut un bruit.

Le monstre cornu s'immobilisa.

Xorron aussi. La lumière qui irradiait son corps s'éteignit brusquement.

C'était le signal : il y avait des hommes dans les parages.

Juan Emanuel Gonzales était au chômage depuis trois ans. Il se demandait comment il allait continuer à faire vivre sa femme et ses quatre enfants lorsqu'une assistante sociale lui trouva enfin un travail. Il s'agissait d'une entreprise de désinfection également chargée de mesurer le taux de pollution des égouts new-yorkais.

Gonzales avait sauté sur l'occasion en se rappelant le proverbe qui dit que l'argent n'a pas d'odeur. Ses collègues le considéraient tous comme un brave homme ne répugnant pas à la tâche. Il faisait souvent équipe avec un dénommé Samuel Renkavi, juif d'origine bulgare qui avait fui son pays pour cause de persécutions antisémites.

A force de les envoyer dans les cloaques new-yorkais, le contremaître les avait baptisés directeurs des égouts. Ce soir-là, Juan Emanuel Gonzales et Samuel Renkavi avaient reçu une mission bien précise !

« Il doit y avoir une vanne défectueuse, leur avait annoncé leur chef. Allez voir sur place et emportez des outils pour ne pas vous déplacer inutilement.

— Où faut-il aller ? avait demandé Renkavi avec son accent à couper au couteau.

— Un peu au sud de Columbus Circle. Descendez par la bouche 16. » Le contremaître avait épongé son front brillant de sueur. « Peut-être aurez-vous moins chaud sous terre. Sait-on jamais ? »

Gonzales grimaça un sourire. La chaleur dans les égouts, c'était rarement agréable !

« Par ce temps-là, ça doit cocotter drôlement », murmura-t-il.

Une demi-heure plus tard, les deux hommes s'enfonçaient dans les profondeurs des égouts de Manhattan. La lampe fixée sur le casque leur permettait d'y voir mieux dans ces boyaux mal éclairés et nauséabonds. La puanteur les prit à la gorge dès qu'ils mirent pied au bas de l'échelle de fer.

Ils consultèrent rapidement un plan maculé de boue et s'enfoncèrent dans un collecteur.

« Nom d'un chien ! maugréa Gonzales dans sa langue maternelle. Quel boulot !

— T'as qu'à nous en trouver un autre », ricana Renkavi en considérant d'un air désabusé le flot d'eaux usées.

Le faisceau de leur lampe dansait au rythme de leur pas. Malgré leurs cuissardes, l'eau fétide mouillait leur combinaison de travail.

Tout à coup, la lampe de Renkavi s'éteignit.

Le Bulgare poussa un retentissant juron, enleva son casque et tripota la lampe.

« Tu crois que ce sont les piles ? demanda Gonzales.

— Non, elles sont neuves.

— Tu vas pouvoir réparer ?

— Probablement, mais pas ici.

— Alors, prends ta lampe de poche. »

Le Bulgare fouilla dans son pantalon et en sortit une torche qu'il alluma aussitôt.

« Ça va pas être commode pour travailler, marmonna-t-il. Mais c'est mieux que rien. »

Ils atteignirent bientôt un collecteur plus large, éclairé par des lampes scellées dans le mur et protégées par un grillage. Gonzales s'y engagea le premier, mais s'immobilisa si brutalement que son compagnon le heurta.

« Hé là ! pesta le Bulgare. Avertis quand tu freines !

— Chut, lui intima l'autre. Écoute, tu entends ?

— Ouais, j'entends l'eau couler.

— Non, il y a autre chose. »

Renkavi le poussa d'une bourrade.

« Avance, on n'a pas de temps à perdre. Plus vite on aura répéré cette fichue vanne, plus vite on se tirera de cette pourriture. Tu veux que je passe le premier ?

— Vas-y...

— Dis donc, toi ! ricana Renkavi. Tu as la trouille ou quoi ?

— Rigole tant que tu voudras. On commence à raconter de drôles d'histoires sur les égouts...

— Si tu crois tout ce qu'on raconte... » bougonna Renkavi en se remettant en marche.

La vanne défectueuse n'était plus très loin.

Tout à coup, le Bulgare s'arrêta à son tour. Cette fois, ce fut à Gonzales de protester.

« Alors, tu avances ?

— Quelque chose vient de bouger, là-bas.

— Hein ?

— Je te jure !

— Bof, c'est un rat..., se moqua Gonzales, soulagé de ne pas être le seul à avoir peur.

— Ouais », maugréa Renkavi en promenant le faisceau de sa lampe le long des murs poisseux d'humidité.

Mais il ne distingua rien de particulier.

Il fit encore quelques mètres.

L'attaque fut brutale, imparable.

L'ombre se détacha d'un renfoncement dans le mur. Renkavi n'eut même pas le temps de crier. Deux mains glacées se nouèrent autour de son cou, le serrant comme un étau. L'air lui manqua presque aussitôt.

Le Bulgare ouvrit la bouche. Un horrible gargouillement en sortit tandis qu'un voile rouge s'abattait devant ses yeux. Il étouffait.

A trois mètres, collé au mur, Gonzales resta quelques secondes figé de stupeur et d'effroi.

« Sam ! » coassa-t-il.

Mais il était trop tard. Les doigts de la goule ne lâchaient pas la gorge de son compagnon. Le monstre pesa de tout son poids pour faire basculer l'égoutier qui tomba à genoux sur le trottoir, au bord du flot boueux. Déjà, les zombies approchaient de leur démarche hésitante.

Gonzales crut vivre un cauchemar.

Et pourtant, tous ces morts vivants aux faces blafardes étaient bien réels. Le regard fixe, la bouche béante, ils avançaient vers leur proie.

Renkavi n'avait pas perdu conscience. Il tentait de résister en se débattant, mais il suffoquait et ses forces l'abandonnaient. La goule le poussa vers l'égout et lui plongea la tête sous l'eau pour le noyer. D'un geste désespéré, le Bulgare parvint à se redresser. Sa main agrippa la trousse à outils.

Fébrilement, il fouilla à l'intérieur. Ses doigts accrochèrent une pince coupante. Il se crispa et frappa au jugé. L'outil acéré s'enfonça dans la chair molle et la pression autour de son cou se relâcha.

Renkavi aspira goulûment un bol d'air et tituba vers le trottoir.

Le répit fut de courte durée. Il lui sembla soudain qu'une multitude de zombies l'encerclaient. Deux des monstres se jetèrent sur lui et lui enfoncèrent de nouveau la tête sous l'eau.

Le Bulgare recommença à se débattre avec la force du désespoir, mais très vite il suffoqua. L'eau de l'égout envahit ses poumons. Il perdit connaissance et mourut en moins d'une minute.

Les zombies avaient gagné. Xorron lui-même se précipita pour participer à la curée. Pas question de laisser sa bande se régaler seule. Lui aussi était poussé par la même pulsion morbide, par le goût du sang qui colorait l'eau.

Gonzales avait assisté à toute la scène, glacé d'horreur. Trop occupé à se repaître du cadavre de Renkavi, les zombies n'avaient pas remarqué sa présence. Il se recroquevilla dans son encoignure, à demi fou de terreur.

Ses lèvres remuaient toutes seules des prières sans queue ni tête. Il n'était pas né à New York, mais aux Caraïbes. Toute son enfance avait été bercée par les tambours vaudous. Gonzales se souvenait de leur rythme lancinant et du pouvoir magique qu'ils ont d'éveiller les morts pour en faire des zombies.

Et voilà qu'il en retrouvait ici, dans les égouts de New York ! Et pas des esclaves dociles comme ceux des Caraïbes, non, mais des monstres buveurs de sang, affamés de chair humaine ! Ah ! il ne les reconnaissait que trop, ces silhouettes hagardes aux gestes maladroits et cruels. Ces visages aux yeux fixes...

Gonzales avait très vite compris qu'il ne pouvait rien pour son malheureux compagnon. Les monstres étaient trop nombreux, trop déterminés.

Mais quand il les vit déchiqueter le cadavre du Bulgare, il ne put s'empêcher de hurler.

Les zombies se tournèrent dans la direction du cri et le découvrirent. Gonzales crut défaillir en distinguant à la lueur des lampes ces visages atroces, figés dans une cruauté glacée. Il les vit hésiter quelques secondes et son cœur cessa de battre.

Puis les créatures passèrent à l'attaque.

Tétanisé, Gonzales ne bougea pas.

Déjà, deux monstres tendaient les mains vers lui. Il recula en frémissant.

Lorsqu'il sentit les doigts glisser sur sa veste, il bondit de nouveau en arrière, mais sans pouvoir détacher les yeux de leur bouche ouverte, prête à mordre, de leurs dents de carnassiers...

Il ferma les paupières un centième de seconde, ramassant toute l'énergie dont il était capable, et décocha un coup de pied au zombie le plus proche. Sous le choc, le mort vivant perdit l'équilibre, ses bras battirent l'air et il bascula dans le flot qui l'entraîna aussitôt.

Mais déjà un autre zombie étreignait le cou de Gonzales, tandis qu'une goule tentait de le plaquer au sol.

Soudain, le zombie lâcha prise, comme traversé par une décharge électrique. Et pourtant, Gonzales n'avait pas esquissé le moindre geste de défense.

Dans un éclair de lucidité, Gonzales comprit ce qui s'était passé.

Sa croix ! C'était la croix qu'il portait autour du cou et que le prêtre de son village avait bénie le jour de son baptême qui venait de le sauver ! A son contact, le zombie s'était brûlé...

Juan Emanuel ne prit pas le temps de réfléchir. Il cogna en aveugle la goule qui se jetait sur lui, pivota sur lui-même et s'enfuit à toutes jambes.

Malgré ses lourdes bottes d'égoutier, jamais de sa vie il n'avait couru aussi vite. La peur lui donnait des ailes. Le hasard voulut qu'il connaisse bien cette portion d'égout, aussi trouva-t-il assez rapidement un puits d'aération.

Il avait jeté sa trousse à outils pour courir plus vite. Des larmes ruisselaient sur son visage, il haletait mais ne ralentissait pas l'allure pour autant. La mort était à ses trousses et il le savait.

Ce n'est qu'en commençant à escalader l'échelle de fer qui remontait vers la surface qu'il osa regarder derrière lui.

Rien. Pas le moindre monstre en vue.

Avaient-ils abandonné la poursuite ?

Juan Emanuel s'arrêta et reprit son souffle en posant son front contre l'acier des barreaux. Les pensées se bousculaient dans sa tête.

« Personne ne va me croire ! se lamenta-t-il. Mon Dieu, mon Dieu, qui me croira ?... »

Et il se remit à grimper en sanglotant. Il repoussa la lourde plaque qui obstruait le puits et se dégagea.

Pour la première fois depuis qu'il vivait à New York, il aspira l'air de la rue en arrivant à la surface avec autant de délice qu'une brise des Caraïbes. Deux policiers discutaient dans une voiture garée à quelques dizaines de mètres.

Juan Emanuel se dirigea vers la voiture d'une démarche d'automate. Mais à quelques mètres du véhicule, ses forces l'abandonnèrent et il s'écroula sur le trottoir.

CHAPITRE 8

Xorron, les zombies et les goules s'étaient partagés leur première victime, et le goût du sang avait exacerbé leur désir de tuer.

Xorron comprit qu'il ne maîtriserait plus longtemps sa troupe. D'ailleurs, lui aussi éprouvait une envie grandissante de remonter à la surface. Il décida qu'il était temps de se mettre en marche.

Les morts vivants le suivirent en file indienne

le long des canaux. Ils ne semblaient guère incommodés par les détritus et la puanteur ambiante. Les rats eux-mêmes avaient déserté les égouts, comme si leur instinct les avait averti de l'horreur qui s'abattait sur New York...

C'était la première fois que Xorron parcourait ce dédale, et pourtant il s'y déplaçait avec un sens de l'orientation stupéfiant. Il trouva rapidement une issue et entreprit de grimper le long de l'échelle métallique, aussitôt imité par les zombies et les goules. Lorsqu'il toucha la plaque qui obstruait l'issue sur la rue, il se concentra un instant. La force magique qui sommeillait en lui fit glisser la plaque sans effort.

La voie était libre.

Xorron escalada un dernier échelon et passa la tête par l'ouverture. Il jeta un regard circulaire : il n'y avait que des voitures... La plaque d'égout se trouvait en plein centre d'un parking.

Le maître des zombies et des goules tendit l'oreille.

De la musique ! Un peu assourdie, mais distincte néanmoins. Un orchestre jouait quelque part. Xorron sortit du puits et fit quelques pas entre les voitures. Un haut mur clôturait l'enceinte, l'arrière d'un théâtre. Quelques rares fenêtres derrière lesquelles se déplaçaient des ombres mouvantes...

Des hommes !

Xorron fit un signe. Les zombies et les goules comprirent que leur heure était venue.

Il avait fallu moins d'une heure pour évacuer morts et blessés et rétablir la circulation dans Broadway. La tragédie avait toutefois provoqué de tels embouteillages qu'il fallut ensuite un certain temps pour les résorber.

Pang Lim et moi avions rejoint Jo Barracuda auprès de sa voiture de service. Un jeune policier nous apporta un hamburger et un gobelet de Coca-Cola avec de la glace pilée.

Jo Barracuda attendait un appel d'Abe Douglas, resté au siège du FBI pour recueillir les informations et coordonner les opérations.

Nous avions jugé inutile de gagner le sud de Manhattan. Si Thanatos et ses sbires avaient pris la fuite en direction de Central Park, c'était probablement pour rejoindre Xorron et sa bande d'assassins.

La nuit était tombée et les enseignes lumineuses de Broadway déversaient leur flot de néon. La plupart annonçaient des spectacles, d'autres vantaient des marques connues dans le monde entier. Théâtres, bars, boîtes de nuit, sex-shops, portes grandes ouvertes, avalaient et vomissaient une foule mêlée de touristes et de noctambules.

Quelques filles légèrement vêtues, des dealers, des pickpockets se tenaient à l'affût des clients, leur gagne-pain quotidien. Une atmosphère de plaisir teinté de vice flottait à l'entour et la nuit promettait d'être chaude en tous les sens du terme.

Je fis quelques pas en compagnie de Pang Lim et on nous aborda aussitôt pour nous vendre quelques minutes de voluptés diverses. Pour toute réponse, je désignai la voiture de police, et nos interlocuteurs se fondirent aussitôt dans la foule. Jo nous fit signe et nous le rejoignîmes.

« Rien de bien nouveau, soupira-t-il. Je n'aime pas ce calme.

— Il faut être patient, même avec le surnaturel, répondis-je.

— Bon sang, mais où peuvent-ils se cacher ? »

C'était au moins la dixième fois que le brave Jo me posait la question. Me prenait-il pour une voyante extra-lucide ? Pang Lim eut un mince sourire.

« L'idée n'est pas originale, mais connaissez-vous dans une ville un meilleur endroit que les égouts pour se cacher ? C'est en tout cas une pratique courante à Londres... »

Nous en avions déjà discuté, Pang Lim et moi, en arpentant le trottoir. Mais par où commencer les recherches ?

« Nous pourrions envoyer quelques patrouilles là-dessous », proposa Jo en me lançant un coup d'œil interrogateur.

Je haussai les épaules sans répondre et laissai

mon regard errer devant moi. Il s'arrêta, sans que je sache trop pourquoi, sur la façade violemment éclairée d'un théâtre. La comédie musicale qu'on y jouait ce soir-là m'était bien connue. Juste à côté, je distinguai un hôtel probablement bourré de touristes.

Le temps avait quelque peu fraîchi et une brise agréable me caressait le visage. Je me sentais tendu et vaguement inquiet, comme à l'approche d'une catastrophe. Mon intuition ne me trompait guère. Même si les zombies s'étaient réfugiés dans les égouts toute la journée, ils n'allaient pas tarder à en sortir, s'ils ne l'avaient pas déjà fait.

C'est alors que le téléphone grésilla sur le tableau de bord de la voiture de Jo. Il décrocha d'un geste vif. Je vis son visage se tendre.

« Oui, Abe, j'ai compris. On s'en occupe, dit-il avant de raccrocher.

— Que se passe-t-il ? »

Il descendit de voiture avant de répondre.

« Les zombies viennent de montrer leur museau.

— Où ? demandai-je.

— Pas loin d'ici, répondit Lo. Deux égoutiers sont tombés nez à nez avec eux. Les zombies en ont déchiqueté un, mais l'autre a réussi à prendre la fuite. Une voiture de chez nous a pu le récupérer plus mort que vif. »

Enfin une piste !

Nous nous mîmes à courir dans la direction indiquée par Abe, fendant la foule sans nous soucier des protestations des badauds que nous bousculions au passage. Prendre la voiture pour faire le tour du pâté de maisons nous aurait fait perdre du temps... On avait transporté l'égoutier rescapé dans un des ateliers de la société chargée d'entretenir les égouts, non loin de Columbus Circle. Un des employés nous accueillit. Il parut soulagé quand Jo lui présenta sa plaque du FBI.

« Où est-il ? demanda notre ami.

— Là, à côté, répondit l'homme. Ne le brutalisez pas, il a reçu un sacré choc...

— Ne vous inquiétez pas », fis-je en me dirigeant avec Jo et Pang Lim vers la pièce indiquée.

L'homme était étendu sur un lit de camp et la pâleur de son visage en disait long sur l'épreuve qu'il venait de subir. C'était un métis, probablement originaire des Caraïbes. Les mains jointes, il marmonnait des prières dans une langue qui devait être du créole. En nous apercevant, il se mit à parler en américain, mais son débit était si haché que nous avions du mal à le comprendre. Il nous parla de vaudou, de morts vivants et nous prédit une apocalypse imminente.

Je lui laissai le temps d'épancher l'angoisse qui visiblement l'étouffait, puis je le questionnai d'une voix calme :

« Qu'avez-vous vu exactement ?

— Des morts vivants. Ils ont attaqué Sam et l'ont tué.

— Où vous ont-ils agressés ?

— Dans le collecteur central, en dessous de Columbus Circle.

— Y sont-ils toujours ?

— J'en sais rien. Mais la fin du monde est proche. Ce ne sont que des éclaireurs, les autres vont suivre. Et si tous quittent leur tombe, ce sera la fin du monde... Il faut prier, monsieur, il faut prier... »

J'évitai de lui dire que les prières ne suffiraient pas à nous épargner la catastrophe. Pang Lim prit le relais :

« Combien étaient-ils ?

— Nombreux, très nombreux. Il y en avait partout ! »

Cet homme était sur le point de perdre la raison, et je le comprenais. Néanmoins, nous avions besoin d'indications précises.

« Combien ? Dix ? Davantage ?

— Oui, oui...

— Où les avez-vous rencontrés ?

— Je vous l'ai dit, dans le collecteur central en dessous de Columbus Circle... Mais il faut prier, monsieur. Vous n'entendez pas le tambour vaudou ? Les morts vont se réveiller. Il faut prier. Priez avec moi ! »

Il hurlait presque. J'échangeai un regard avec

mes compagnons et les entraînai dans la première pièce. Cet homme ne nous apprendrait plus rien. Il avait seulement besoin de calmant et d'une aide médicale.

En nous apercevant, l'employé tendit le téléphone à Jo.

« C'est pour vous... »

Jo prit le combiné et me tendit l'écouteur.

C'était Abe Douglas. Il nous informait qu'il avait donné l'ordre de boucler tout le quartier. J'approuvai d'un signe de tête et Jo raccrocha après lui avoir brièvement relaté notre rencontre avec l'égoutier.

« Tu crois que ce sera suffisant ? demandai-je à Jo.

— Pas à cent pour cent. Mais nous disposerons au moins de forces importantes si les zombies passent à l'attaque. A moins que nous les arrêtions avant.

— Dans ce cas il va falloir se coltiner les égouts, soupirai-je.

— Hé oui », fit Jo en se pinçant les narines.

L'employé nous indiqua sur un plan l'endroit où avait eu lieu la tragique rencontre. Je le remerciai et empochai le plan en conseillant aux deux policiers qui avaient récupéré l'égoutier de le transporter à l'hôpital le plus proche.

Nous n'eûmes aucun mal à trouver une plaque d'entrée. Pang Lim passa le premier, Jo Barracuda le suivit et je fermai la marche. Un dernier coup d'œil au ciel toujours gris de New York la nuit et je remis la lourde plaque en place. J'eus alors la désagréable impression de refermer le couvercle d'un puits qui pouvait devenir notre tombeau à tous les trois.

La puanteur me saisit à la gorge. Décidément, il régnait la même odeur fétide dans les égouts de toutes les grandes villes du monde.

Munis chacun d'une lampe torche, nous explorâmes prudemment quelques collecteurs secondaires et non éclairés sans rien apercevoir d'inquiétant. Puis nous atteignîmes un collecteur plus large. Celui-là était éclairé.

« D'après le plan, chuchota Pang Lim, les zombies ont attaqué un peu plus loin... »

Tout à coup, Jo Barracuda s'immobilisa.

« Mon Dieu », murmura-t-il d'une voix blanche.

Le faisceau de sa lampe balayait une flaque de sang et, au milieu, une main arrachée, la paume tournée vers nous... C'était tout ce qui restait du malheureux égoutier.

Je me sentis frémir de la tête aux pieds, autant de dégoût que de rage. Pang Lim, lui, resta impassible.

« Les salauds ! gronda Jo. Les monstres ! »

Je lui posai la main sur l'épaule.

« Ce pauvre diable est mort, on n'y peut plus rien. Pense à tous ceux qui risquent de subir son sort en ce moment même. Allons-y, Jo.

— Ouais, tu as raison. »

Pang Lim nous avait précédés de quelques pas, à la recherche d'un indice nous permettant de suivre la bande de Xorron à la trace. Instinctivement, je sortis le glaive de Destero de son fourreau que j'avais fixé à ma ceinture, sous mon imperméable.

Plus nous avancions, plus je me persuadais que nos ennemis avaient déjà quitté les égouts. Pang Lim s'arrêta sous un puits d'aération. Il sentit le courant d'air et leva la tête.

Une échelle métallique montait vers une bouche d'égout qui, curieusement, était restée ouverte — négligence que ne commettent jamais les égoutiers.

« Ils sont sortis par là ! » s'écria le Chinois.

Moins d'une minute plus tard, nous débouchions à notre tour dans le parking désert.

« Où sommes-nous ? demandai-je à mi-voix.

— Mmm... Parking de théâtre, dit Jo d'une voix lente en inspectant la façade devant nous.

— Et ça ? ajoutai-je en montrant une tour carrée.

— Hôtel », fit Jo brièvement.

Étaient-ce les deux bâtiments qui avaient accroché mon regard tout à l'heure dans la rue ? Je sentis mon estomac se nouer. Un théâtre et un hôtel, deux endroits bondés de victimes potentielles. Les zombies et les goules n'auraient

104

pu rêver lieux plus propices pour satisfaire leur besoin de tuer.

Il régnait un calme trompeur. Pas la moindre trace de morts vivants aux alentours. Étaient-ils déjà à l'intérieur des bâtiments, ou bien s'étaient-ils cachés à l'extérieur pour surprendre leurs proies au moment où elles viendraient récupérer leurs véhicules à la fin de la représentation ?

Nous nous mîmes aussitôt à chercher entre les voitures. Je m'aperçus alors que le bas de mon pantalon était trempé et dégageait une odeur pestilentielle. Et pas la moindre trace de zombies...

« A croire qu'ils se sont volatilisés... maugréa Jo Barracuda avec agacement.

— Peut-être sont-ils retournés sous terre ? hasarda Pang Lim.

— Certainement pas ! m'écriai-je en désignant le théâtre. Derrière ce mur sont entassés plus de victimes qu'ils ne pourraient rêver en tuer, même en y passant toute la nuit !

— Alors, dépêchons-nous », soupira Jo.

Un hurlement d'horreur nous figea le sang dans les veines. Je levai les yeux et vis un corps tournoyer dans le vide...

CHAPITRE 9

Ron Cartwright était à l'apogée de sa gloire. Il avait débuté dans l'Oklahoma et comptait bien rester une des stars de Broadway encore de longues années.

La comédie musicale qu'il avait mise en scène et dont c'était la première ce soir-là était une vieille reprise : *Sound of Music*. A force d'imagination et de travail, Cartwright avait réussi à produire un spectacle surprenant de modernité.

Les musiciens, les chanteurs, les danseurs et même les machinistes lui vouaient une confiance aveugle. L'équipe, parfaitement soudée, s'était donnée à fond et le metteur en scène sentait venir un nouveau triomphe.

Le théâtre était comble ; il n'y avait plus un strapontin libre. Il est vrai qu'une première dans un théâtre en vogue de Broadway est toujours un événement.

Cartwright attendait dans son minuscule bureau que le rideau tombe sur le dernier acte. On saurait alors si c'était gagné ou perdu. Il avait posé sa veste de smoking sur une chaise et dégrafé son col.

Mais l'impatience fut la plus forte. Il se leva, but une gorgée de whisky au goulot de la bouteille qui se trouvait en permanence sur son bureau et sortit. Il longea le couloir des loges et pénétra dans la cabine son.

Cartwright assumait avec bonne humeur une cinquantaine florissante, mais, ce soir-là, il aurait donné beaucoup pour hâter la fin de la représentation. Il ne comprenait pas pourquoi il s'énervait comme ça et mit son malaise sur le compte du trac, de la chaleur et de la fatigue des ultimes répétitions.

Le théâtre était un bâtiment ancien qu'on n'avait jamais pris soin de climatiser. Il y stagnait en permanence une odeur de poussière, de peinture et de cosmétiques que l'homme de spectacle qu'était Cartwright aimait par-dessus tout.

L'ingénieur du son était un tout jeune homme que Cartwright considérait un peu comme son fils. C'est lui qui l'avait formé et le garçon, prénommé Larry, lui vouait une affectueuse reconnaissance.

« Tout va bien ? demanda le metteur en scène, dans le dos de Larry assis à son pupitre.

— Oui, monsieur Cartwright, répondit le jeune homme sans se retourner. Ça va être un succès ; la salle répond bien et la troupe est sensationnelle.

— Bien, très bien. Je vais faire un tour. J'ai besoin de marcher...

— A tout à l'heure, monsieur, répliqua le garçon en souriant. Et ne soyez pas en retard pour le baisser de rideau ! »

Cartwright quitta le studio et passa derrière la scène en louvoyant entre les éléments de décor ; puis il gagna les coulisses encombrées d'une foule d'acteurs, de danseurs attendant d'entrer en scène, de costumières et de machinistes.

Chacun le salua au passage.

Cartwright hésita à s'asseoir au milieu de cette foule. Il décida de rejoindre plutôt Martha, sa femme, là-haut, dans le petit atelier de décoration sous les combles. Elle y passait la moitié de sa vie, y compris les soirs de première. Cartwright pensa à la tasse de thé froid que sa

108

femme lui gardait toujours, et rien ne lui parut plus rafraîchissant en cet instant.

Il contourna la grande salle par le couloir extérieur qui en faisait le tour. La loge du concierge était déserte. L'homme avait probablement filé boire un verre en attendant la sortie des spectateurs. Cartwright n'aimait pas qu'on déserte son poste et se promit d'en toucher deux mots au régisseur.

Un petit escalier s'amorçait à droite de la loge qui montait vers les combles. Cartwright s'y engagea en se tenant à la rampe. A mi-chemin, il s'arrêta, essoufflé, et se répéta pour la centième fois qu'il devrait se mettre au régime. Il soupira.

C'est alors qu'il perçut une odeur inconnue. Il connaissait toutes les odeurs possibles et imaginables d'un théâtre, mais pas celle-là.

Ça puait. Ça puait vraiment !

Il fronça les sourcils et renifla avec attention.

Ça sentait le cadavre en décomposition...

Il reprit son ascension d'un pas plus rapide, une ride perplexe lui barrant le front. Plus il approchait du dernier étage, plus la puanteur augmentait. Elle fut bientôt si forte qu'il sentit une nausée lui monter à la gorge.

Il déboucha sur le palier et emprunta le couloir qui menait à l'atelier de son épouse.

Tout était calme et désert.

Brusquement, alors qu'il n'était plus qu'à

quelques mètres de l'atelier, Cartwright entendit un cri atroce. Il reconnut la voix de sa femme.

Il se précipita, ouvrit la porte à toute volée et resta cloué sur le seuil.

Martha gisait sur le sol, à côté d'une table renversée. Une horrible blessure au front saignait abondamment. Le sang coulait sur les joues, le long du cou et s'égouttait sur le parquet.

Un être gélatineux, immonde et puant était accroupi à ses côtés. Il tenait encore à la main un pied de table.

Une autre créature tout aussi immonde brandissait une paire de ciseaux.

« Martha ! » hurla Cartwright en se ruant dans la pièce sans comprendre qu'il se jetait dans la gueule du loup.

La goule verdâtre armée des ciseaux se tourna vers lui. Sur le visage du monstre se lisait une cruauté bestiale, mais le metteur en scène n'y prit pas garde. C'est à peine s'il vit le bras se lever et frapper de haut en bas de toutes ses forces.

La goule avait visé la poitrine, mais Cartwright, au dernier moment, fit un bond de côté et les ciseaux meurtriers l'atteignirent à l'épaule, déchirant la chemise et la chair.

Cartwright vacilla sous le choc et l'effet de la douleur. Son épaule le brûlait comme marquée au fer rouge. Il recula et heurta une autre table recouverte de maquettes, de tissus et de tubes de peinture.

La chance voulut à cet instant qu'il aperçoive une seconde paire de ciseaux. Rendu fou par la frayeur et la rage, il s'en empara et fit face.

La goule attaquait de nouveau, mais Cartwright ne lui laissa pas le temps de frapper et lui enfonça les ciseaux dans la gorge.

Il ne sentit presque aucune résistance et, les yeux exorbités, ne vit pas jaillir de sang.

« Ce n'est pas possible ! » pensa-t-il en un éclair.

Il ne comprenait toujours pas.

La goule se contenta de retirer les ciseaux de la plaie. Babines retroussées, elle les tenait à présent comme une arme supplémentaire.

Elle les lança en direction de Cartwrigth qui les évita en se baissant. Les ciseaux fracassèrent un miroir derrière lui et tombèrent à terre.

Presque aussitôt, Cartwright entendit un choc sourd.

Il fut parcouru d'une décharge électrique.

Il se tourna dans la direction du bruit et constata que l'autre monstre armé d'un pied de table venait de frapper de nouveau le pauvre corps mutilé de sa femme.

Alors, il perdit toute notion du danger et se rua vers l'assassin, oubliant la seconde goule. Celle-ci se précipita sur lui.

Le metteur en scène sentit des mains visqueuses mais douées d'une force prodigieuse l'empoigner. La goule le projeta en avant et l'accula dans l'embrasure d'une fenêtre ouverte.

Emporté par son élan, Cartwright perdit l'équilibre et bascula en arrière. Il hurla, tenta de s'agripper à l'encadrement, mais la goule, d'une ultime poussée, le projeta à l'extérieur.

Un cri atroce jaillit de la gorge du malheureux qui s'écrasa cinq étages plus bas sur une voiture en stationnement.

Lorsque Pang Lim, Jo et moi arrivâmes près du défenestré, il avait cessé de vivre.

Jo Barracuda jura violemment.

Je levai les yeux. Tout là-haut, sous les toits, une goule semblait contempler son forfait en ricanant.

« Vite ! lançai-je aux deux autres. Ça va être un carnage ! »

Je me précipitai vers une petite porte qui donnait sur l'arrière du théâtre. Par chance, elle n'était pas fermée à clé. Il n'y avait personne derrière le bureau du concierge.

J'aperçus alors un escalier étroit qui montait aux étages. Un air célèbre de la comédie musicale *Sound of Music* éclata soudain quelque part derrière les murs. J'entendis Jo jurer de nouveau tandis que j'escaladais les marches quatre à quatre, suivi de Pang Lim.

« Tiens-toi prêt ! » dis-je entre mes dents, sans

me retourner pour voir si Pang Lim avait sorti son fouet à démons. Dans l'action, je faisais une confiance aveugle à mon compagnon. Lui aussi à mon égard. Ce qui nous avait maintes fois tiré d'affaire.

Arrivé sur le palier du dernier étage, j'hésitai une fraction de seconde. L'ennemi pouvait se cacher derrière n'importe laquelle de ces portes. Et combien étaient-ils ?

Pang Lim fut moins prudent. Son fouet à la main, il ouvrit la première porte.

Une loge. Vide.

Je l'imitai sans rien découvrir dans la loge en face. Mais quelques portes plus loin, je compris en posant la main sur la poignée que nous étions arrivés sur les lieux du crime.

D'immondes gloussements de goules repus parvenaient de la pièce. J'ouvris la porte à la volée et je les vis.

Une rage froide s'empara de moi et ma main se crispa sur le glaive de Destero. Cette arme imprégnée de magie noire avait jadis détruit la bande de démons sauvages qui s'étaient révoltés contre le joug d'Asmodée. Je savais donc qu'elle pouvait tuer n'importe quelle créature maléfique.

Les goules s'interrompirent et se retournèrent. Entre leurs dents, des lambeaux de tissus blancs maculés de sang. Je n'attendis pas qu'elles réagissent, bondis dans la pièce et frappai à

113

toute volée. Pang Lim me rejoignit au moment où la tête de l'une d'elles roulait sur le parquet.

Les lanières du fouet à démons sifflèrent et s'enfoncèrent dans le corps de la deuxième goule. Le monstre fut projeté à travers l'atelier et alla heurter le mur avec un bruit d'outre flasque. Nous l'entendîmes hurler de douleur tandis que la magie du fouet la brûlait intérieurement. Elle se tordit dans d'ultimes convulsions et mourut en quelques secondes.

Mais nous arrivions trop tard. Une femme était étendue sur le sol, morte, le visage couvert de sang. Ses vêtements déchirés dévoilaient les larges plaies et les morsures cruelles.

Je m'agenouillai pour la couvrir d'un tissu et lui fermer les yeux, sans accorder le moindre regard aux deux goules dont le cadavre, comme celui de toutes les créatures démoniaques, se décomposait à une vitesse stupéfiante. J'avais l'habitude de ce genre de spectacle.

Pang Lim, pendant ce temps, fouillait méthodiquement chaque coin de l'atelier pour vérifier qu'aucun autre monstre n'y était caché.

« Mais où est Jo ? demanda-t-il soudain.

— Il doit être dans... » Je m'interrompis, inquiet tout à coup, et m'écriai d'une voix blanche. « C'est vrai, ça, où est-il ? »

D'un bond, je me retrouvai dans le couloir.

Personne.

Je criai son nom.

Pas de réponse.

J'avisai soudain une porte à deux battants au bout du couloir. Pang Lim me jeta un bref regard, mâchoires serrées. Un frisson d'horreur me parcourut l'échine.

« Allons-y ! » criai-je en me ruant en avant.

CHAPITRE 10

Jo Barracuda avait laissé ses amis s'occuper des deux tueuses. D'autres monstres pouvaient rôder dans les parages. Le policier décida de poursuivre vers le fond du couloir et poussa la porte à deux battants qui l'occupait tout entier. Il déboucha dans une vaste salle au parquet brillant comme un miroir. Une barre courait le long des murs. Il y avait des glaces partout et un piano à queue semblait, malgré sa taille, un peu perdu dans un coin. Un escalier en colimaçon permettait d'accéder aux combles. Aucune autre issue. C'était une salle d'entraînement pour les danseurs.

Elle était vide et violemment éclairée.

Jo y pénétra sur la pointe des pieds. Il tenait à la main le Beretta de Pang Lim chargé à balles d'argent. Son visage ruisselait de sueur et, une fraction de seconde, il pensa revenir vers ses compagnons. Dans le silence de la pièce, sa respiration haletante lui fit presque peur. La douleur sourde nichée au creux de son épaule se réveillait et il douta de pouvoir se servir utilement de son bras gauche, en cas d'agression.

Les zombies avaient traversé cette salle de répétition !

Jo l'aurait juré. Leur puanteur flottait encore dans l'air.

« Où êtes-vous ? chuchota-t-il. Montrez-vous, assassins de l'enfer ! »

La vision du corps s'écrasant dans le parking avait décuplé sa rage et il se sentait prêt à tuer sur place tous les monstres qui se présenteraient à sa portée.

Il avança jusqu'à l'escalier en colimaçon. Si les zombies avaient quitté la salle, ce ne pouvait être que par là. Mais il hésita à s'aventurer seul dans les combles.

Il mit néanmoins le pied sur la première marche et écouta.

Rien. Pas le moindre bruit.

Il monta encore une marche, puis deux.

Les combles n'étaient pas éclairés, mais il crut voir bouger dans la pénombre, au-dessus de sa tête.

La curiosité lui fit grimper encore une marche. Une de trop. Quelque chose tomba sur ses épaules. Il ne put reconnaître quoi. C'était une sorte de tissu.

D'un geste vif, il chercha à s'en débarrasser, mais sa douleur à l'épaule devint intolérable. Il crut s'évanouir et se recroquivilla sur lui-même avant de s'effondrer. Son corps roula dans l'escalier et il resta allongé sur le parquet.

Il n'avait pas perdu connaissance. La douleur s'éteignit dès qu'il fut allongé. Toutefois, il se sentait comme paralysé, sa volonté annihilée. Le voile qu'on lui avait jeté dessus s'était entortillé autour de son visage. Il ne voyait presque rien, mais il entendait.

Des pas lourds ébranlèrent l'escalier. On s'approchait. A sa grande stupéfaction, Jo crut constater que la silhouette qui se penchait sur lui scintillait, comme éclairée de l'intérieur.

Une main froide toucha la sienne et ouvrit les doigts qui enserraient la crosse du Beretta. Jo fit un effort énorme pour bouger imperceptiblement, mais cette tentative le fit atrocement souffrir.

Des mains glissèrent sous ses aisselles et on le

souleva pour l'emporter. Incapable de se défendre, l'agent du FBI entendait au loin les chansons de la comédie qui se poursuivait quelques dizaines de mètres en dessous.

Le policier se demanda s'il n'était pas en train de rêver. Il allait mourir, et des centaines d'hommes et de femmes inconscients du danger achevaient de passer une bonne soirée.

A présent, les mains glacées couraient sur son corps, le palpaient et il sentait dans ces attouchements une avidité qui lui soulevait le cœur et le terrorisait à la fois.

« Pourquoi ne me tuent-ils pas tout de suite ? » pensa-t-il épouvanté.

Brutalement, une main arracha le voile qui entourait sa tête.

Et il vit !

Une silhouette argentée et phosphorescente, une bouche ouverte sur une rangée de dents dont l'éclat rappelait celui du métal.

Un cri d'horreur monta dans sa gorge.

Mais il ne le poussa jamais.

Xorron fut plus rapide et le tua avant.

Je m'avançai vers la porte à deux battants qui occupait le fond du couloir, le cœur étreint d'un affreux pressentiment. Pang Lim dut le comprendre, car il me serra brièvement le bras et passa devant moi.

Je restai figé à un mètre des battants, paralysé

par la terrible tension qui s'emparait de moi chaque fois que j'approchais d'un drame. Je ne parvenais pas à me dominer.

« John, tu crois ? » souffla Pang Lim, qui savait à quoi je pensais.

« Je le crains », répondis-je en serrant si fort la poignée du glaive de Destero que mes doigts blanchirent aux phalanges.

Combien de zombies et de goules étaient passés par cette porte ? La légèreté des flonflons de la comédie musicale ajoutait encore au tragique de la situation.

« Allons-y », m'encouragea Pang Lim.

Je pris ma croix bénie dans la main gauche, mon glaive dans la droite, et laissai Pang Lim ouvrir la porte toute grande.

Une salle de répétition. Vide.

Mais les monstres l'avaient traversée avant nous. Leur odeur flottait dans l'air, reconnaissable entre tout.

« L'escalier », me souffla Pang Lim.

Il avait raison. L'ennemi avait dû se réfugier dans les combles, en attendant le moment propice pour passer à l'attaque.

Nous nous y engagions quand nous entendîmes les bruits de pas. Je retins Pang Lim et, un doigt sur les lèvres, lui fis signe de redescendre.

En effet, des chaussures apparurent. Noires et couvertes de boue. Puis un pantalon de couleur claire.

Jo Barracuda portait le même ! Mon cœur fit un saut dans ma poitrine et je butai sur Pang Lim en reculant. Mon compagnon aussi avait reconnu le pantalon. Les yeux écarquillés, il transpirait à grosses gouttes.

La démarche ne laissait pas place au doute. C'était un zombie qui s'apprêtait à descendre l'escalier. Lorsque la silhouette entière apparut en pleine lumière, il fallut se rendre à l'évidence : Jo Barracuda avait rejoint la sinistre bande de Xorron...

Incapable de réagir, je le regardai descendre les marches avec une lenteur maladroite. Enfin, le zombie s'arrêta au pied de l'escalier et nous fit face.

Je ne sais comment décrire le sentiment d'horreur qui nous submergea Pang Lim et moi. Les zombies avaient tué notre ami pour en faire un des leurs, et seul Xorron pouvait être assez machiavélique pour l'envoyer ainsi à notre rencontre.

Des pieds aux épaules, Jo n'avait pas changé, mais le reste était affreux et j'aurais volontiers fermé les yeux pour échapper à ce cauchemar.

Ils lui avaient déchiré la gorge avec les dents, épargnant le reste pour le laisser errer en tant que mort vivant et ajouter une recrue à leur troupe de criminels carnassiers...

Je ne sais ce qui, de la colère impuissante ou

du dégoût, porta mon désarroi à son comble. Je faillis éclater en sanglots, supplier le zombie de me reconnaître, de se souvenir...

Mais je savais que c'était impossible. Il me faudrait le détruire moi-même pour éviter d'autres crimes et laisser mon ami profiter du repos éternel.

Jo, mon vieux complice avec qui je m'étais battu des années auparavant contre le Vaisseau Vampire ! Jo qui m'avait fait venir à New York pour sauver la ville.

« Jo ! » murmurai-je.

M'entendit-il ?

Il s'avança vers moi en me fixant de ses yeux morts et je vis ses doigts s'ouvrir et se fermer spasmodiquement. La frénésie de meurtre des zombies s'était éveillée en lui. Il me tuerait comme il tuerait tout être vivant qui croiserait sa route.

« Tu veux que je m'en charge ? demanda Pang Lim avec émotion.

— Non, c'est à moi de lui permettre de retrouver la paix, fis-je d'une voix rauque. Je lui dois bien ça.

— Comme tu voudras », soupira Pang Lim en reculant pour me laisser le champ libre, sans pour autant baisser sa garde.

Je répugnai à me servir du glaive. Aussi décidai-je d'utiliser ma croix.

Jo s'avança vers moi, tendit les mains en

avant et referma les doigts sur la croix. Aussitôt, il se raidit comme électrocuté. Au contact de l'argent béni, sa chair grésilla. Il ouvrit la bouche, poussa un cri d'agonie atroce puis tomba sur le sol, tel un pantin désarticulé.

Cette fois, Jo Barracuda était définitivement mort. On pourrait l'enterrer en chrétien qu'il était. Plus rien désormais ne viendrait troubler son repos.

Je contemplai quelques secondes son cadavre. Les yeux me piquaient et j'avais la gorge trop serrée pour prononcer le moindre mot.

Pang Lim posa une main sur mon épaule et tenta de me réconforter :

« Tu ne pouvais pas agir autrement, John. N'aie aucun regret. Tu as fait ton devoir.

— Je sais, soupirai-je d'un ton morne. Mais c'est dans des moments comme ceux-là que je hais mon travail.

— Non, non, protesta Pang Lim en secouant la tête. C'est dans ces moments-là que tu nous honores tous. »

J'écrasai une larme du revers de la main et jetai un regard de haine vers les combles, vers le sadique Xorron qui venait de m'obliger à détruire mon ami. Il allait le payer cher !

« Le Beretta, souffla Pang Lim à mon oreille. Ton Beretta, c'est Jo qui l'avait, non ?

— Bon sang ! »

Il était inutile de fouiller Jo. Les monstres lui avaient sûrement dérobé son arme.

« Comme s'ils n'étaient pas assez dangereux comme ça ! » gronda Pang Lim en me suivant du regard, tandis que je me dirigeais vers l'escalier.

Thanatos était partagé entre des sentiments contradictoires. D'un côté, il se réjouissait d'avoir enfin Xorron avec lui, d'un autre il rageait de savoir John Sinclair à New York. Ce fichu policier risquait fort de bousculer ses plans. Il s'en était d'ailleurs fallu d'un cheveu, tout à l'heure, dans le métro. Sans le dé magique, que serait-il advenu de lui, de Tokata et de Lady X ?

Bref, Solo Morasso était inquiet. De toute évidence, Sinclair travaillait avec le FBI. Inutile d'être grand clerc pour deviner que la police fédérale et son pire ennemi ne lui laisseraient plus une seconde de répit tant qu'il serait sur le sol américain. Ils allaient boucler Manhattan jusqu'à ce qu'ils aient retrouvé sa trace, ainsi que celle de Xorron et de sa bande...

Thanatos ne s'inquiétait pas pour le maître des zombies et des goules. Xorron était de taille à se défendre, et c'était bien cette redoutable puissance que Solo Morasso recherchait en lui. Il avait absolument besoin de cette créature !

La police irait-elle le chercher dans les

égouts ? Probablement pas. Mais Xorron et sa bande n'y resteraient pas cachés éternellement. Thanatos connaissait trop bien la nature démoniaque pour savoir que, la nuit tombée, les monstres quitteraient leur planque, poussés par l'irrésistible pulsion de mort qui les habitait.

Comment les en empêcher ?

Le dé magique avait catapulté Solo Morasso, Lady X et Tokata entre deux dimensions. Une retraite sûre où aucun de leurs ennemis n'irait les chercher. Même John Sinclair, qui s'y connaissait pourtant en dimensions parallèles. Mais celle-ci n'était connue que de lui seul, Thanatos ! Il s'y était toujours réfugié pour y forger ses plans criminels à l'abri de tous.

« Que se passe-t-il ? s'inquiéta Lady X en le voyant grimacer.

— Devine, répliqua Thanatos agacé.

— Bon, d'accord, soupira l'ex-terroriste. Nous avons dû nous enfuir. Mais pourquoi ne t'es-tu pas d'abord occupé d'éliminer Sinclair ? Tu aurais pu le faire couper en morceaux par Tokata avant de filer sur New York !

— Idiote ! Il était plus urgent de réveiller Xorron.

— Peut-être. Et à présent, que comptes-tu faire ?

— J'aimerais bien savoir où se trouve Xorron », murmura comme pour lui-même le démon humain. Quelque chose le tracassait à ce sujet. Un vague malaise.

« Tu crois qu'il a quitté les égouts ? demanda Lady X.

— Ça ne m'étonnerait pas.

— Interroge le dé », fit la jeune femme en haussant les épaules.

Thanatos ne répondit pas, le regard perdu au loin. Tout était noir autour d'eux, car ils se trouvaient dans un espace intermédiaire. Malgré lui, Solo Morasso pensa à Asmodée, celle à qui il devait tout et que pourtant il haïssait de tout son être. Jusqu'à présent, il avait réussi à la tenir en dehors du jeu, car elle savait où reposait Xorron depuis des siècles et n'avait jamais voulu le lui révéler ! Si elle venait à apprendre que Xorron était libre, elle interviendrait à coup sûr et pas pour le soutenir, lui, Thanatos le traître !

« D'accord, murmura-t-il. Je vais interroger le dé. »

Thanatos prit le dé dans sa main. Le petit cube d'ivoire paraissait curieusement inoffensif et quiconque l'aurait trouvé par hasard n'aurait jamais pu supposer qu'il recelait un tel pouvoir.

Le démon humain l'enferma entre ses paumes et se concentra pour établir avec lui un contact télépathique. Lady X et Tokata se tenaient un peu en retrait, sans échanger la moindre parole, pour ne pas troubler leur maître.

Thanatos sentit le contact s'établir lentement.

Puis il eut l'impression de tomber dans un vide sans fin. La pénombre s'éclairait autour de lui et une lumière blanche, légèrement bleutée, le baignait.

Le dé s'effaça alors et Thanatos concentra ses pensées sur le seul être qui l'intéressait : Xorron. Ce nom bourdonnait dans ses oreilles, mais le halo bleuté demeurait insondable, vision d'un pur néant.

Il en fallait davantage pour décourager le démon qui habitait le corps de Solo Morasso. De longues minutes passèrent.

Soudain, des images se formèrent dans son esprit. D'abord floues et imprécises, un peu comme un film dont la copie serait défectueuse. Des personnages défilèrent, silhouettes noyées dans le brouillard teinté. Solo Morasso continua de fixer sa volonté sur le maître des zombies et des goules.

Enfin celui-ci apparut, reconnaissable entre mille à sa silhouette blanchâtre.

« Xorron ! souffla Thanatos d'une voix tendue.

— Ça y est, tu le vois ? demanda Lady X dont l'impatience croissait de seconde en seconde.

— Tais-toi. »

L'effort de concentration devenait insoutenable, mais l'image se précisait. Solo Morasso comprit très vite que les zombies avaient quitté les égouts. Ils n'erraient plus dans les canalisations nauséabondes, mais avaient pénétré dans un lieu plus vaste, peuplé d'une foule de victimes potentielles...

Thanatos réprima un geste de colère. Il s'était attendu à les trouver semant la panique dans les rues de Manhattan. S'enfermer dans un lieu clos allait faciliter la tâche de Sinclair et ses sbires. Le démon tenta d'identifier le bâtiment, mais l'image s'effaça dans son esprit.

Une magie plus forte que celle du dé avait brouillé le transfert télépathique. Solo Morasso ne s'attarda pas à essayer de deviner laquelle. Il avait d'ailleurs un soupçon à ce sujet. Ce pouvait fort bien être celle de ce maudit John Sinclair et de sa croix. Le chasseur de spectres suivait les zombies à la trace, mais les avait-il rejoints ?

« Alors, tu as vu où ils sont ? demanda Lady X.

— Ils ne sont plus dans les égouts. Ils ont pénétré dans un établissement quelconque, mais je n'ai pas réussi à le localiser.

— Ton dé te jouerait-il un tour ?

— Disons plutôt qu'une magie particulièrement efficace a troublé la communication télépathique.

— Sinclair ?

— Probablement.

— Qu'allons-nous faire ? »

Le visage de Solo Morasso se crispa brusquement.

« J'éprouve un désagréable pressentiment. Sinclair est très fort et ses armes sont redoutables. Ce n'est pas quelques zombies qui vont lui faire peur. Il faut trouver mieux, sinon nous allons perdre la partie.

— Bonne idée, mais encore ?

— Il faut protéger Xorron. Lui seul compte pour nous. » Thanatos martelait ses mots en regardant Lady X droit dans les yeux. « Les autres ne sont que des comparses. Sauvons Xorron ! A n'importe quel prix !

— Bien. Que décides-tu ? »

Le front de Solo Morasso resta plissé quelques instants. Il réfléchissait aux possibilités que lui offraient ses pouvoirs magiques. Le temps pressait, car Sinclair, lui, ne laisserait pas filer la moindre occasion de lui damer le pion...

CHAPITRE 11

J'abandonnai le cadavre de Jo Barracuda.

Désormais, le corps de mon ami appartenait aux Pompes Funèbres. Je lui avait fermé les yeux, mais l'expression de souffrance dont était empreint son visage ne s'effacerait pas de si tôt de mon esprit.

Une rage glacée s'était emparée de moi. Xorron allait me payer ce meurtre au centuple. Les larmes que j'avais refoulées en assistant aux derniers instants de Jo me brûlèrent une nouvelle fois les paupières.

Je poussai un soupir pour évacuer un peu la tension qui me nouait les muscles, et me tournai vers l'escalier.

Pang Lim devina les sentiments qui m'agitaient.

« John, murmura-t-il, méfie-toi ; la colère est mauvaise conseillère. Tu sais ce qu'une erreur peut nous coûter.

— D'accord, dis-je avec un bref sourire. Je vais essayer de me contrôler. »

Pang Lim avait raison, bien entendu. Il est dangereux de se laisser aveugler par le désir de vengeance. Mais il n'est pas non plus toujours facile de garder son sang-froid.

Je m'approchai de l'escalier avec prudence, sans quitter un seul instant des yeux le trou noir du plafond. Xorron avait conservé l'arme que j'avais confiée à Jo et il pouvait nous tirer dessus à tout moment.

Mais rien de tel ne se passa.

Les zombies et les goules semblaient s'être évaporés.

Et pourtant, ils étaient là, au-dessus de nos têtes. Je sentais leur présence. Comme je sentais celle de centaines d'innocents entassés dans ce théâtre et inconscients du drame qui se jouait au dernier acte, comme sur la scène.

Le plus dangereux était Xorron, le seul capable de concevoir un plan. Les autres n'étaient que des machines à tuer.

Je n'avais encore jamais eu affaire à lui. Je ne savais même pas sous quelle forme il se manifestait.

J'escaladai quelques marches. La moquette étouffait les bruits et nous n'entendions rien d'autre que les sons lointains et étouffés de la musique et des chœurs.

Puis, soudain, un grincement métallique.

Je m'arrêtai quelques secondes, imposant silence à Pang Lim. Qu'est-ce que ça pouvait bien être ? Déjà, le bruit semblait s'éloigner.

Je grimpai les dernières marches en courant et débouchai tout en haut des cintres. Malgré l'urgence de la situation, je ne pus m'empêcher d'être impressionné. L'entrelacs des poutrelles de fer qui constituait la charpente du théâtre et les innombrables passerelles qui s'entre-croisaient pour permettre aux machinistes de changer les décors ou de régler les éclairages me firent penser à une multitude de toiles d'araignées à échelle humaine.

C'était aussi un véritable labyrinthe, et quiconque oserait s'y aventurer sans en avoir une longue pratique risquait fort de ne pas atteindre son but. Ajoutez à cela les guirlandes de poulies et de câbles permettant de changer les décors en un minimum de temps, de treuils reliés à des moteurs électriques, et on aura une vague idée de cet univers très particulier que le spectateur, lui, ne voit jamais et qui est pourtant indispensable à la magie du spectacle.

Or, ce soir-là, il n'y avait personne dans les cintres. L'électrification et l'automatisation permettaient désormais aux machinistes de rester au rez-de-chaussée, assis devant leurs tableaux truffés de boutons et de manettes. Heureusement pour eux... Ce progrès venait, sans qu'ils le sachent, de leur sauver la vie.

Un réflexe de prudence nous avait fait cependant nous coucher sur le sol, Pang Lim et moi, juste au bord de cette fosse immense que constitue la scène. Il en montait une lueur diffuse, de la musique et des chansons, mais je n'accordai que peu d'attention au spectacle qui se poursuivait quelques dizaines de mètres en dessous de nous. Je cherchai les monstres du regard.

Soudain, j'en aperçus quelques-uns sur une passerelle.

Il devait y en avoir d'autres un peu partout.

Une puanteur effroyable me confirma bientôt mon hypothèse. Des goules s'étaient embusquées dans l'ombre, tout près de nous, j'en aurais mis ma main au feu !

Tout à coup, les applaudissements envahirent la salle et montèrent comme une vague dans les cintres.

J'avançai en me traînant sur les coudes, Pang Lim à mes côtés. Une échelle de fer permettait de quitter le palier sur lequel nous nous trouvions et de gagner une des passerelles métalliques.

Je vérifiai, avant de m'y engager, que personne ne risquait de surgir dans notre dos.

Bien m'en prit.

Elle apparut brusquement, comme surgie du néant. Je distinguai sa silhouette flasque et les yeux cruels fixés sur moi. Elle se précipita.

D'un mouvemant instinctif, je bondis sur mes pieds, dégainai mon glaive et frappai à la volée. La lame magique entailla profondément le corps informe de la goule qui recula. Naturellement, ce ne fut pas du sang qui coula de sa hideuse balafre, mais une sorte d'humeur brunâtre à l'odeur pestilentielle. Le monstre fit encore quelques pas, puis s'écroula. Je crus un instant qu'il allait basculer dans le vide et s'écraser sur la scène. Mais non, il demeura en équilibre sur le rebord du palier, tandis que le liquide infect qui suintait de sa plaie gouttait lentement sur la scène.

Les acteurs n'allaient pas tarder à s'en apercevoir.

Il fallait agir vite, sinon ce serait la panique.

Par bonheur, la goule était morte sans un cri et les autres monstres n'en paraissaient guère affectés. Tout à coup, je sentis comme un courant d'air. Pang Lim frappait à son tour. Les lanières du fouet à démons sifflèrent, mais ne rencontrèrent que le vide.

« J'avais cru en voir une autre, murmura-t-il un peu confus.

— Mieux vaut nous séparer, proposai-je à voix basse. Nous serons moins vulnérables. »

J'écartai le majeur et l'index en V pour lui donner du courage. Il me répondit d'un signe de tête.

Il fallait avancer en rampant sur le ventre et je dus me retenir d'éternuer à cause de la poussière. Aussi décidai-je de progresser accroupi.

Tout à coup, la pénombre fut trouée par le faisceau d'un projecteur. Un des éclairagistes avait dû faire une fausse manœuvre...

Le projecteur ne balaya les cintres qu'un bref instant, mais ce fut suffisant pour que je puisse apercevoir une partie des créatures démoniaques. Elles s'étaient regroupées un peu plus bas, sur une des passerelles réservées aux machinistes. Je n'eus pas le temps de les compter.

Une des silhouettes, pourtant, avait retenu mon attention.

C'était lui.

Xorron !

Sa peau laiteuse semblait capter la lumière. Je n'avais jamais imaginé comment le maître des zombies et des goules se présenterait à moi... Et je l'aurais plutôt vu comme une créature répugnante et monstrueuse, une sorte de Vampiro del Mar. Or, Xorron donnait en fait l'impression d'un être cosmique débarqué d'une lointaine galaxie.

Et eux ? M'avaient-ils aperçu ?

Sans doute, car, à l'instant même, je vis certains d'entre eux se diriger vers l'endroit où je me dissimulais tant bien que mal. J'entendis vibrer la passerelle métallique sous leurs pas lourds et hésitants. Quelques secondes plus tard, un être aux yeux rouges me faisait face.

Ce n'était ni un zombie ni une goule, mais un démon. Pas très grand, il m'arrivait à peine à l'épaule et dégageait une odeur de soufre.

Cette créature venait droit de l'enfer.

J'entendis, sur ma droite, l'avertissement de Pang Lim.

Une seconde plus tard, les monstres attaquaient en masse.

Pang Lim, de son côté, avait continué à ramper pour ne pas se faire remarquer. De fait, les monstres n'avaient pas tout de suite senti sa présence.

Par peur de me blesser, il préféra utiliser son Beretta chargé à balles d'argent plutôt que le fouet à démons. Ah ! il savait s'y prendre avec les créatures venues de l'Au-delà ! Et lui aussi voulait venger Jo Barracuda.

Une seule solution pour exterminer cette vermine : leur tirer une balle ordinaire dans la tête. Toutefois, certaines créatures n'étaient vulnérables qu'aux balles d'argent : les goules, par exemple, ne mouraient que d'une blessure provoquée par une arme magique...

Pang Lim s'était donc avancé le plus près possible de l'endroit par où les monstres allaient surgir.

Lui aussi avait profité du bref coup de projecteur pour estimer l'ampleur du danger. Puis il s'était concentré pour résister à l'attaque.

Les créatures démoniaques s'étaient rapprochées. C'est alors que Pang Lim avait sifflé pour m'alerter et que les monstres avaient surgi.

Pang Lim avait senti la main humide et poisseuse d'une goule sur son visage et il avait tressailli jusqu'au plus profond de lui-même. Le contact de cette chair molle et spongieuse l'avait brûlé comme si elle était imbibée d'acide. Il se redressa, recula d'un pas et distingua dans la pénombre la silhouette monstrueuse. Une sorte d'énorme poire aux bras trop longs.

Pang Lim frémit. La goule tenait dans la main droite une barre de fer, et déjà elle la levait pour frapper avec une folie meurtrière. Le Chinois fit un bond de côté et la barre passa à quelques centimètres à peine de son épaule gauche. Puis, sans laisser au monstre le temps de se ressaisir, il fit feu.

Une brève lueur et déjà la balle d'argent s'enfonçait dans le corps qui éclata sous l'impact du métal béni. Des débris de chair volèrent en tous sens. Pang Lim, d'un geste instinctif, s'était protégé le visage de la main.

« Un de moins », pensa-t-il avec une joie sauvage.

Le quatrième... Combien en restait-il encore ?

Il n'eut pas le temps de réfléchir à la question. Sinclair venait de pousser un cri. Pang Lim se retourna pour lui porter secours et ne vit pas le zombie sortir de l'ombre. Le monstre, qui avait rampé dans la pénombre, le plaqua au sol.

Le Chinois perdit l'équilibre et n'eut pas le réflexe d'amortir sa chute. Sa tête heurta le mur avec violence. L'onde de choc se propagea dans tout son corps et il resta quelques secondes hébété. Son regard se voila et il dut faire appel à toute son énergie pour ne pas sombrer dans l'inconscience. Il serra les dents et pensa au bâton de Bouddha. Cette arme défensive lui permettait d'immobiliser le temps. Il la portait sur lui en toutes circonstances. Mais cette fois, elle ne lui serait d'aucune utilité. Elle exigeait, pour être efficace, un prodigieux effort de concentration, une énorme quantité de force vitale. Or, Pang Lim était trop ébranlé par le choc qu'il venait de subir et il utilisait le peu d'énergie qui lui restait pour lutter contre l'évanouissement.

Le zombie maintenait Pang Lim plaqué au sol. Rampant sur le corps de sa victime, il remontait vers la gorge. Le Chinois revit tout à coup le cadavre de Jo Barracuda, le cou déchiré à pleines dents.

Un sursaut d'horreur et de dégoût le traversa.

Il parvint à dégager une jambe et, d'un coup de genou, frappa le monstre. Le zombie roula sur le côté, mais revint aussitôt à la charge, insensible à la douleur.

Pang Lim, cette fois, le vit revenir. Il replia les jambes contre sa poitrine et les détendit brutalement. Frappé au plexus, le zombie fut projeté contre le mur qu'il heurta avec violence.

Le monstre resta quelques secondes tassé sur lui-même, le temps, pour le Chinois, d'attaquer à son tour. Il bondit sur ses pieds, voulut se ruer sur l'ennemi, mais un choc violent sur la nuque l'en empêcha.

Mal remis de sa chute, Pang Lim n'avait pas senti venir le danger et n'avait pas pensé à assurer ses arrières.

Sonné, il fléchit les genoux et bascula dans le vide, sans un cri.

Les zombies le regardèrent tomber sans manifester la moindre émotion — ni joie ni fureur de voir leur proie leur échapper.

Les machines à tuer accomplissaient leur sinistre besogne avec l'insensibilité d'automates animés par la volonté du Diable.

CHAPITRE 12

Sentir s'ouvrir le vide sous ses pieds déclenche toujours un atroce sentiment de panique. Le cerveau fonctionne à toute vitesse, produisant une série de gestes réflexes.

Pang Lim ne réagit pas autrement. Son regard s'accrocha au barreau d'une échelle métallique. Il tendit le bras. Ses mains glissèrent sur le métal froid, rebondirent douloureusement, puis ses doigts se refermèrent sur une prise solide.

Il ressentit un choc terrible, l'impression qu'on lui arrachait les bras, les hanches et les jambes, qui vinrent heurter violemment l'échelle de fer. La douleur irradiait dans tout son corps. Il ferma les yeux et se cramponna aux barreaux. Puis, lentement, précautionneusement, ses pieds cherchèrent un appui.

Le Chinois resta ainsi quelques instants, les yeux clos, agrippé à son échelle, attendant que la douleur se calme un peu. Enfin, il entrouvrit les paupières et regarda sous lui.

De grosses gouttes de sueur perlaient à son front et sa respiration, encore saccadée, avait du mal à reprendre son cours normal. Son cœur, dans sa poitrine, cognait comme un tambour.

Rarement il avait senti la mort le tirer à ce point par les cheveux et il eut l'impression de l'entendre hurler de dépit.

John !

Le combat faisait rage au-dessus de la tête du Chinois.

Des coups sourds.

Sinclair affrontait seul une meute de zombies déchaînés. Pang Lim s'ébroua et entreprit de remonter un à un les barreaux de l'échelle pour venir en aide à son ami.

Mais, cette fois, il décida de vérifier que Xorron ne risquait plus de l'attaquer dans le dos. Il tourna la tête, et l'horreur lui dilata les pupilles.

Ce que John et lui avaient voulu éviter à tout prix venait justement de se passer.

L'étrange créature démoniaque était à deux pas de moi. En tendant la main, j'aurais pu la toucher. Mais je m'en gardai bien et concentrai toute mon attention sur les yeux rouges.

Eux aussi me fixaient et je crus voir les flammes de l'enfer danser dans leurs prunelles fixes. Soudain, le corps tout entier parut s'embraser. Un halo de lumière rouge l'enveloppa.

J'hésitai à tirer, n'ayant jamais encore eu affaire à ce genre de zèbre !

Je voyais distinctement sa peau brunâtre et les cornes de chaque côté de son front. Le visage allongé évoquait celui d'un bouc. Ce démon à l'apparence humaine devait être une créature d'Asmodée, une de celles qu'elle m'envoyait régulièrement pour me tuer.

Lorsqu'il ouvrit la bouche, j'y vis danser des flammes. Si je ne voulais pas mourir brûlé, il fallait le détruire vite !

Je tirai mon glaive à lame d'argent et le plongeai dans la bouche béante.

Le démon parut foudroyé. Le feu s'éteignit dans sa gorge et, de douleur, il se déchira la poitrine de ses griffes acérées. Le hurlement qu'il poussa me vrilla les tympans et je grimaçai de souffrance. Puis il parut s'élever de quelques centimètres et se dématérialisa subitement.

Une fois débarrassé de cette créature, je poussai un bref soupir de soulagement et cherchai à nouveau à repérer les zombies. Xorron avait probablement divisé ses troupes. Une partie était censée nous mettre hors d'état de nuire, Pang Lim et moi. Le reste l'aiderait à semer la panique à l'intérieur du théâtre.

Il y eut un coup de feu, et je reconnus le Beretta de mon compagnon.

Des voix montèrent des coulisses et je craignis un instant que les machinistes ne s'aperçoivent de quelque chose.

Ce n'était pas le moment !

Mais non...

« Tiens, dit l'un d'eux. Encore une lampe qui pète. Faudra aller vérifier après la représentation... »

Ça me laissait le temps de faire le ménage !

Je parvins à me rapprocher du petit groupe de zombies qui entouraient Xorron, un peu en contrebas. Ils étaient tellement absorbés par la contemplation de leurs futures victimes qui s'agitaient, insouciantes, moins d'une vingtaine de mètres sous eux, qu'ils ne me virent pas approcher.

Je pris le temps d'observer le maître des zombies et des goules. Son étrange silhouette n'était pas près de s'effacer de ma mémoire. Son corps blanchâtre illuminé de l'intérieur et ce fascinant visage dépourvu de traits me donnèrent le frisson.

Xorron devait disparaître. Il fallait le détruire, le renvoyer au néant dont il n'aurait jamais dû surgir. Le tuer, c'était aussi porter un coup décisif à la Ligue du Crime. Je regrettai de ne plus avoir mon Beretta, mais mon glaive ferait l'affaire. Je m'approchai encore et Xorron leva la tête.

Allait-il m'affronter directement ? Rien, dans son attitude, ne me permettait de le savoir. Les trois zombies qui l'entouraient ne réagirent pas plus que lui. Tout à coup, leur immobilité me parut suspecte.

Le glaive bien en main, je scrutai la pénombre autour de moi.

Quelqu'un s'avançait.

Je ne l'entendais pas, mais je devinais sa présence.

Et ce ne pouvait être qu'un ennemi...

Je le vis enfin, sur ma droite : un zombie au visage décharné, dont les yeux au regard fixe me transpercèrent. Il avait le nez cassé, mais pas la moindre goutte de sang ne souillait sa face livide.

J'entendis alors un choc sourd sur ma droite, comme si quelqu'un tombait lourdement. Je n'y prêtai pas attention, trop occupé par la créature qui venait à moi.

Il était là ! Bouche ouverte, prête à mordre,

mains tendues pour me saisir. Je lui plongeai sans hésiter mon glaive dans le ventre.

Il referma la bouche et un gargouillis monta de sa gorge. Ses mains retombèrent, il vacilla comme un homme ivre. Je n'eus pas besoin de le décapiter ; la force magique du glaive de Destero faisait son œuvre.

Il se recroquevilla sur lui-même et roula sur la passerelle pour se décomposer aussitôt.

Xorron comprit le danger et réagit instantanément. Entraînant les zombies qui l'entouraient, il se laissa tomber sur la scène où s'achevait le deuxième acte.

Bien sûr, on avait commencé à s'étonner de l'absence prolongée de Ron Cartwright. Mais chacun connaissait les manies du metteur en scène, et personne n'était parti à sa recherche. Il viendrait pour le final, afin de saluer le public avec toute la troupe...

Le corps de ballet piaffait d'impatience. Le dernier tableau du deuxième acte était le clou du spectacle. La troupe dans son entier envahissait la scène. La maquilleuse courait de l'un à l'autre pour rectifier un détail ici ou là.

Chacun était tendu. Tout avait bien marché jusque-là et le public suivait, mais il fallait le conquérir définitivement et déchaîner l'enthousiasme. Un ultime coup de poker et tout serait joué !

Le danseur qui dirigeait le corps de ballet était un jeune homme de petite taille, étonnamment vif et d'une "présence" sur scène presque magique. A cet instant, il sautillait en plaisantant pour détendre l'atmosphère.

Tout à coup, il s'immobilisa, inspira profondément, puis lança avec autorité :

« On y va ! »

Déjà, il jaillissait des coulisses.

L'orchestre se déchaîna et la troupe bondit en scène, tandis que les chanteurs reculaient pour laisser les danseurs évoluer à leur guise.

Les projecteurs inondèrent la scène de lumière et le public, fasciné, retint son souffle !

C'est à ce moment précis que Xorron atterrit sur les planches, aussitôt suivi de trois silhouettes atroces qui chutèrent lourdement au milieu des danseurs.

Mais où était passé Pang Lim ?

Je ne voulais pas me laisser envahir par l'angoisse.

A présent que Xorron et les zombies avaient atteint leur objectif, nous ne serions pas trop de deux pour éviter un bain de sang. Je voulus me précipiter à mon tour, mais je fus arrêté par un zombie qui me barrait le passage.

Je frappai de toutes mes forces. Rien n'aurait pu m'empêcher de passer en cet instant !

La tête se détacha du corps et alla rouler quelques mètres plus loin sur la passerelle. Je m'en crus débarrassé et fis un pas en avant. A ma grande surprise, le corps décapité tendit les bras et m'agrippa au passage.

Je levai le glaive pour frapper à nouveau.

Mais ce fut inutile. Le corps s'affaissa soudain et tomba à mes pieds. Je l'enjambai. C'est alors que me parvinrent les premiers hurlements d'horreur.

J'hésitai à effectuer le même saut que Xorron. Je n'étais pas un mort vivant, moi, et je risquais de me rompre le cou. Je courus donc vers une échelle métallique et entrepris de descendre au plus vite — ce qui n'était pas si facile avec un glaive à la main. Dans ma hâte, j'avais oublié de le remettre dans son fourreau...

J'aperçus trois électriciens sur une passerelle basse, au niveau de la rampe des projecteurs.

« Sauvez-vous pendant qu'il est encore temps ! » leur criai-je.

Mais ils ne parurent pas comprendre et demeurèrent immobiles, fascinés par le spectacle d'horreur qui se déroulait à leurs pieds !

Sur la scène, le brouhaha s'intensifiait, ponctué de cris aigus, et la panique n'allait pas tarder à se communiquer à la salle. Je redoutais par-dessus tout que les spectateurs se ruent vers les issues, ajoutant alors aux victimes des zombies celles qui ne manqueraient pas de se retrouver piétinées dans l'affolement général.

Dans ma précipitation, je ratai un barreau et mon visage heurta le montant de l'échelle. Je me mis à saigner du nez, mais je n'y prêtai guère attention.

Un coup de feu.

Le Beretta.

Pang Lim venait de réapparaître.

Je négligeai les derniers barreaux et sautai sur la scène.

D'abord, personne n'avait compris.

L'orchestre jouait toujours. Quelques spectateurs s'étaient bien étonnés de ces quatre énergumènes descendus des cintres, mais les acteurs ne réagirent pas tout de suite.

Dans la lumière violente des projecteurs, les morts vivants paraissaient encore plus livides et effrayants. Les longues mèches de cheveux sales qui encadraient leur visage cadavérique, les yeux morts profondément enfoncés dans des orbites cernées de bistre, leurs vêtements déchirés maculés de boue et la puanteur qui s'exhalait de leurs bouches, tout concourait à inspirer l'horreur absolue.

Les trois derniers zombies se regroupèrent autour de Xorron. Le maître scintillait d'une lueur plus intense et on distinguait, à travers la peau phosphorescente, le dessin du squelette. Il ouvrit la bouche à son tour, découvrant des dents de carnassier.

Ces dents qui avaient ouvert la gorge du malheureux Jo Barracuda.

Ce fut le signal de la curée.

Tout à coup, l'orchestre s'interrompit. Le chef, qui faisait face à la scène, venait de comprendre qu'il se passait quelque chose d'anormal.

Une actrice hurla.

Ce fut la débandade sur le plateau. Les acteurs et les danseurs se précipitèrent vers les coulisses en criant, se bousculant, tombant les uns sur les autres. Deux enfants, un garçonnet et une petite fille, qui jouaient dans le spectacle, s'étaient pétrifiés, figés de terreur.

Un des zombies s'empara du petit garçon.

Le danseur étoile l'avait vu, et il comprit que l'enfant allait mourir dans les secondes qui suivaient si on n'intervenait pas très vite. D'un bond étonnant de légèreté et de précision, il s'arracha au sol et, du pied, gifla le monstre à toute volée. Ce dernier ne put parer le coup, lâcha sa victime et tournoya avant de s'effondrer contre une colonne en bois peint qu'il entraîna dans sa chute.

Le danseur prit aussitôt l'enfant par la main et le poussa vers les coulisses en criant :

« Vite, file ! »

Il se retourna et ce fut pour voir qu'un des zombies attrapait l'un de ses camarades. Mais, cette fois, il n'eut pas le temps d'intervenir. Le zombie venait de planter ses dents dans la gorge de sa victime, dont le hurlement de terreur se tut presque aussitôt.

C'est alors que le danseur sentit deux bras glacés l'enserrer. Horrifié par la mort de son camarade, il n'avait pas vu l'autre monstre approcher dans son dos.

Pang Lim sauta à cet instant sur la scène. Quelques fractions de seconde suffirent pour qu'il prenne la mesure de la situation : ça tournait à la catastrophe.

Dans la salle, c'était l'affolement. Les spectateurs se bousculaient dans les travées. Certains enjambaient les fauteuils. Les issues trop étroites ne permettaient pas une évacuation rapide et la bousculade ne faisait que s'amplifier à chaque seconde.

L'horrible loi du plus fort eut tout loisir de s'exercer. Des femmes et des hommes furent renversés et piétinés sans que quiconque songeât à les relever. Les musiciens avaient déserté la fosse d'orchestre et s'étaient rués dans le sas qui la reliait aux coulisses.

Mais le pire était encore ce qui se passait sur la scène. Déjà, un cadavre sanguinolent gisait sur les planches. Le danseur étoile, attaqué dans le dos, vivait ses derniers instants.

C'est alors que d'un bond Pang Lim atterrit près du monstre qui tenait l'infortuné à la gorge.

Le Chinois appuya le canon de son Beretta sur la tempe du zombie et lui fit sauter la cervelle.

Pang Lim ne s'attarda pas à réconforter le danseur et chercha aussitôt autour de lui un autre ennemi. Le hurlement que poussa une petite fille le fit se ruer en avant.

Xorron ! C'était Xorron qui tenait l'enfant dans ses bras et penchait déjà sa face creuse vers le cou de l'innocente victime que personne ne songeait à secourir. Le Chinois comprit qu'il ne lui restait plus qu'une seule chose à faire.

Il brandit le bâton tibétain et hurla le mot magique à pleins poumons.

Je me reçus mal en tombant sur les planches et restai une seconde hébété. Une danseuse affolée s'effondra contre moi en me suppliant de la protéger. Je voulus la repousser, mais elle s'accrochait à moi comme une naufragée à une bouée de sauvetage.

Tout à coup j'entendis la voix de Pang Lim crier :

« TOPAR ! »

Aussitôt, tout s'immobilisa autour de moi. Le temps était suspendu, figeant sur place vivants et morts vivants. Personne ne bougeait plus, hormis celui qui détenait le bâton tibétain.

Pang Lim savait que ce miracle était de courte durée, cinq secondes exactement. Aussi ne perdit-il pas de temps.

Il se précipita sur Xorron.

Mais quelle ne fut pas son horreur de constater que le maître des zombies et des goules lui non plus n'était pas paralysé. Certes, ses gestes étaient plus lents, mais il bougeait ! Le Chinois profita néanmoins de cette faiblesse momentanée pour lui arracher la petite fille.

Déjà, l'effet magique était passé.

Personne n'avait pu remarquer ce qui venait de se produire et la panique reprit de plus belle. Personne, sauf Xorron qui poussa un cri de rage. Je me débarrassai de la danseuse et me précipitai pour aider Pang Lim.

A cet instant, un des deux derniers zombies survivants me lança une des actrices dont il venait de s'emparer. La jeune femme faillit s'empaler sur le glaive de Destero que j'écartai de justesse. Elle tomba à mes pieds et s'accrocha elle aussi à moi. Je perdis encore quelques précieuses secondes à la relever et à lui dire de fuir au plus vite. Son agresseur avait disparu.

Je regardai de nouveau Pang Lim.

Le Chinois avait tiré son fouet et en frappa Xorron. Les lanières s'enroulèrent autour du cou du démon. Le maître des zombies et des goules resta quelques instants immobile. Mais il en fallait davantage pour le détruire. Xorron possédait une puissance singulière ! Blessé, il était d'autant plus dangereux. Pang Lim ne tarda pas à en faire la douloureuse expérience.

Les lanières du fouet vibraient encore autour du cou de Xorron quand ce dernier attrapa le manche et tira d'un coup si sec, si violent, que Pang Lim lâcha prise. Xorron profita de ce que son adversaire, déséquilibré, plongeait en avant, pour le frapper du poing en pleine poitrine. Incapable de parer le coup, mon compagnon partit en arrière, traversa la moitié de la scène et bascula dans la fosse d'orchestre.

Xorron arracha le fouet enroulé autour de lui et le jeta d'un geste méprisant.

Tout s'était passé si vite que je n'avais rien pu faire. Je levai alors mon arme et la dirigeai vers Xorron. Soudain, un coup de feu claqua dans mon dos. La balle me frôla et cassa le bras d'un des danseurs, qui s'effondra plus mort que vif.

Je me retournai alors qu'on tirait pour la seconde fois. Quelques éclats de bois vinrent voler à mes pieds.

Le zombie que j'avais laissé échapper tenait maintenant mon Beretta à la main. Celui que j'avais prêté à Jo Barracuda. Par chance, il ne savait pas tirer, mais il pouvait très bien tuer quelqu'un par hasard.

Je fus sur lui avant qu'il ne lève le bras une troisième fois et lui tranchai la main qui tenait l'arme. Le membre tomba sur le sol sans lâcher le revolver. Je ne pus retenir un frémissement de dégoût. Le zombie paraissait n'avoir rien senti et il se rua sur moi.

Je le décapitai avant qu'il ne m'atteigne. Sa tête rebondit sur le plateau, achevant de glacer d'horreur ceux qui n'avaient pas encore réussi à s'éloigner.

Je cherchai Xorron des yeux, mais il avait disparu.

Je contournai en hâte un pan du décor quand je tombai sur lui. Il entraînait une femme évanouie. Le dernier zombie tenta de me barrer le passage mais je lui plongeai mon glaive dans la poitrine avant qu'il ait pu m'atteindre.

Le maître des zombies et des goules était désormais en face de moi.

C'est alors qu'une voix inattendue retentit :

« Xorron ! »

Le monstre lâcha sa proie comme frappé par la foudre.

Il se retourna lentement. Je fis de même.

Solo Morasso !

Le démon humain se tenait là, flanqué de Tokata et de Lady X.

Comment était-il parvenu jusqu'à nous ? La magie, encore une fois, était la seule explication. Thanatos arrivait tout droit d'une autre dimension...

Lady X brandit sa mitraillette et, d'un bond, je disparus dans les coulisses. Bien m'en prit, car elle fit feu presque aussitôt. L'ex-terroriste s'élança à ma poursuite et m'aurait froidement liquidé si Xorron n'était pas alors involontairement venu à mon secours.

Il passa entre la tueuse et moi. Les balles ricochèrent sur lui, et je profitai de ce bref répit pour filer. J'empruntai en toute hâte un escalier en colimaçon qui montait vers les cintres. Lorsque je débouchai quelques mètres au-dessus du plateau, je constatai que Lady X n'avait pas jugé bon de me suivre.

Pour elle et pour Thanatos, seul Xorron comptait.

J'entendis un dernier rire de dédain et les quatre sinistres criminels s'évanouirent dans une autre dimension.

Mon bras qui tenait le glaive retomba lentement. J'avais perdu la première manche dans la partie qui m'opposait à la Ligue du Crime.

Les policiers ne tardèrent pas à envahir le théâtre, Abe Douglas à leur tête.

Deux morts sur la scène, plus le couple Cartwright, sans compter Jo Barracuda. C'était un lourd bilan.

J'accompagnai le lieutenant près du corps de notre ami.

« Mon Dieu ! s'écria-t-il. Comment est-ce arrivé ?

— J'ai dû le tuer », répondis-je en soupirant.

Et j'expliquai ce qui s'était passé. Il hocha plusieurs fois la tête.

« C'est la nuit la plus dure de mon existence de policier », murmura-t-il.

Je l'accompagnai encore lorsqu'il alla surveiller l'évacuation des blessés et retrouvai Pang Lim qui s'était assommé en tombant dans la fosse d'orchestre.

« Quel métier ! grommela-t-il en se frottant le crâne.

— Ouais, maugréai-je. Thanatos est plus fort que jamais... A moins qu'Asmodée ne décide de l'affronter ouvertement pour ne pas lui laisser prendre trop de pouvoir dans la dimension de l'horreur...

— Tant qu'ils se feront la guerre, ils oublieront peut-être notre petit univers quotidien, fit Pang Lim toujours optimiste.

— Possible, mais n'y crois pas trop ! »

Nous restâmes encore deux jours à New York pour assister à l'enterrement de Jo Barracuda.

Et cette fois, je ne pus retenir mes larmes...

225 LES PILLEURS DE TOMBES   Jason DARK

Linc Lancaster s'aperçut alors de ma présence.
« Vous êtes l'inspecteur-chef John Sinclair ? Le fameux
chasseur de spectres ? demanda-t-il aussitôt.
— Lui-même, répondis-je.
— Vous avez bien fait de venir. »
Jusque-là, Lancaster n'avait jamais cru aux esprits ni
aux autres phénomènes surnaturels. Mais cette nuit-là,
il changea radicalement d'avis.

226 LE TRÉSOR DES DRUIDES   Jason DARK

Le visage de l'inconnu demeurait impassible. Aucune
lueur ne brillait dans son regard.
J'avais en face de moi un des redoutables Hommes en
Gris !
Il ouvrit lentement la main. Quelque chose de vert
brillait entre ses doigts.
Une pierre... Une pierre druidique !
Je fus aussitôt projeté dans un tourbillon d'une
violence inouïe. La voix de l'Homme en Gris résonna
au loin :
« Celui qui cherche à s'emparer du Trésor des druides
doit mourir ! »

227 ZOMBIES SUR LA PLACE ROUGE   Jason DARK

Instinctivement je levai la valise à hauteur de mon visage pour me protéger. J'entendis la lame de la scie déchirer le cuir.

Mon adversaire se déplaçait avec une rapidité surprenante tout en exécutant des moulinets avec son arme redoutable. Mais il restait étrangement silencieux, pas le moindre souffle, pas le moindre cri.

A vrai dire, il ne donnait même pas l'impression de respirer...

Comme d'habitude, les agents secrets étaient bien informés. Les zombies avaient donc envahi l'Union Soviétique.

228 NOCES D'HORREUR   Jason DARK

Il ouvrit lentement le sarcophage. Ses cheveux se dressèrent sur sa tête et son visage devint blême.

« Ce... ce n'est pas possible, bredouilla-t-il. C'est pourtant ce que je craignais !

– Oui. Mais malheureusement pour vous, cela doit rester secret », répondit soudain une voix rauque et haineuse dans son dos.

La lame du couteau s'abattit violemment.

Personne ne devait savoir que la pauvre Hélène allait épouser un loup-garou...

229 DESTERO,
LE BOURREAU DU DIABLE   Jason DARK

La troisième chambre des mille tortures portait bien son nom. Je compris pourquoi personne n'en était jamais ressorti.

C'était à mon tour d'y pénétrer...

Je distinguai des taches brunes sur le sol : du sang séché ! J'eus un haut-le-cœur, mon voyage au bout de l'horreur allait se terminer ici.

La voix sardonique d'Asmodée, la fille du diable, résonna tout à coup :

« Bienvenue dans l'antichambre de l'Enfer, John Sinclair ! »

Un bruit fit sursauter l'archéologue. Il n'eut pas le temps de réagir. Cinq doigts se refermèrent sur son bras, si durement qu'il poussa un cri.

Il comprit aussitôt qu'il s'était jeté dans la gueule du loup. Son obstination allait lui être fatale.

La statue de Kali était vivante !

Malheur à celui qui avait osé profaner le temple de la déesse de la Mort.

231 LES YEUX DU BOUDDHA D'OR Jason DARK

La gigantesque statue du Bouddha sembla soudain animée par une terrible force interne et parut agitée de frémissements.

C'est alors qu'elle leva le bras.

L'intrépide voleur sentit une ombre passer au-dessus de lui. Son hurlement de terreur résonna à travers le temple et cessa brusquement lorsque la lourde main de la divinité s'abattit sur sa tête...

La malédiction du Bouddha d'or venait de frapper une nouvelle fois.

IMPRIMÉ EN FRANCE PAR BRODARD ET TAUPIN
Usine de La Flèche, 72200.

marc Fredette

L'heure de l'angoisse...
SPECTRES

200 POUVOIRS DIABOLIQUES (D. Brenner Francis)
201 SOMMEIL DE MORT (D. Cowan)
202 VOIX DANS LA NUIT (J. Haynes)
203 ATTIRANCE (I. Howe)
204 L'INITIATION (R. Brunn)
205 ROSES ROUGE SANG (S. Armstrong)
206 PACTE INAVOUABLE (C. Veley)
207 PUISSANCE OCCULTE (B. Haynes)
208 SORTILÈGES VAUDOU (J. Callahan)
209 SOIF DE VENGEANCE (E. Stevenson)
210 CERCLE INFERNAL (I. Howe)
211 L'OMBRE DE L'ARBRE MORT (D. Colin)
212 EAUX DORMANTES (C. Laymon)
213 LA CHAMBRE AUX MALÉFICES (J. Patton Smith)
214 LE REPAIRE DES MONSTRES (B. Coville)
215 LA VENGEANCE DU FEU (N.R. Selden)
216 LE MAITRE DE L'ORAGE (S. Netter)
217 DANSE MACABRE (L. Kassem)
218 LE CAVEAU DES MALÉFICES (J. Trainor)
219 LES FANTÔMES DU MARAIS (R. Tankersley Cusick)
220 MENACES (A. Byron)
221 LE SALON DE L'ÉPOUVANTE (S. Blake)
222 FLOTS MAUDITS (J. Trainor)
223 L'AMULETTE ENSORCELÉE (B. Coville)